4주 완성 스케줄표

공부한 날	주	일	학습 내용
월 일	1주	도입	이번에 배울 내용을 알아볼까요?
		1일	(자연수)÷(자연수)의 몫을 분수로 나타내기
월 일		2일	(분수)÷(자연수)
월 일		3일	(분수)÷(자연수)를 분수의 곱셈으로 나타내기
월 일		4일	(대분수)÷(자연수)
월 일		5일	세 수의 계산
		평가/특강	누구나 100점 맞는 테스트/창의·융합·코딩
월 일	2주	도입	이번에 배울 내용을 알아볼까요?
		1일	몫이 소수 한 자리 수인 (소수)÷(자연수)
월 일		2일	몫이 소수 두 자리 수인 (소수)÷(자연수)
월 일		3일	몫이 1보다 작은 소수인 (소수)÷(자연수)(1)
월 일		4일	몫이 1보다 작은 소수인 (소수)÷(자연수)(2)
월 일		5일	나누는 수가 두 자리 수인 (소수)÷(자연수)
		평가/특강	누구나 100점 맞는 테스트/창의·융합·코딩
월 일	3주	도입	이번에 배울 내용을 알아볼까요?
		1일	소수점 아래 0을 내려 계산하는 (소수)÷(자연수)
월 일		2일	몫의 소수 첫째 자리에 0이 있는 (소수)÷(자연수)
월 일		3일	나누는 수가 두 자리 수인 (소수)÷(자연수)
월 일		4일	(자연수)÷(자연수)의 몫을 소수로 나타내기
월 일		5일	어떤 수 구하기
		평가/특강	누구나 100점 맞는 테스트/창의·융합·코딩
월 일	4주	도입	이번에 배울 내용을 알아볼까요?
		1일	비 알아보기
월 일		2일	비율을 분수나 소수로 나타내기
월 일		3일	비율이 사용되는 경우
월 일		4일	백분율 알아보기
월 일		5일	백분율이 사용되는 경우
		평가/특강	누구나 100점 맞는 테스트/창의·융합·코딩

공부한 날을 표시하고 하루하루 학습 내용을 살펴보세요.

Chunjae
Maketh
Chunjae

기획총괄 박금옥
편집개발 지유경, 정소현, 조선영, 원희정,
이정선, 최윤석, 김선주, 박선민
디자인총괄 김희정
표지디자인 윤순미, 안채리
내지디자인 박희춘, 이혜진
제작 황성진, 조규영

발행일 2021년 2월 1일 초판 2021년 2월 1일 1쇄
발행인 (주)천재교육
주소 서울시 금천구 가산로9길 54
신고번호 제2001-000018호
고객센터 1577-0902

※ 정답 분실 시에는 천재교육 홈페이지에서 내려받으세요.
※ KC 마크는 이 제품이 공통안전기준에 적합하였음을 의미합니다.
※ 주의
책 모서리에 다칠 수 있으니 주의하시기 바랍니다.
부주의로 인한 사고의 경우 책임지지 않습니다.
8세 미만의 어린이는 부모님의 관리가 필요합니다.

똑 똑 한

하루 계산

6A

기운과 끈기는
모든 것을 이겨낸다.
- 벤자민 플랭크린 -

주별 Contents

이 책의 특징

도입 이번에 배울 내용을 알아볼까요?

이번 주에 공부할 내용을 만화로 재미있게!

개념 완성 개념 • 원리 확인

쉬운 계산 원리를 만화로 쏙쏙!

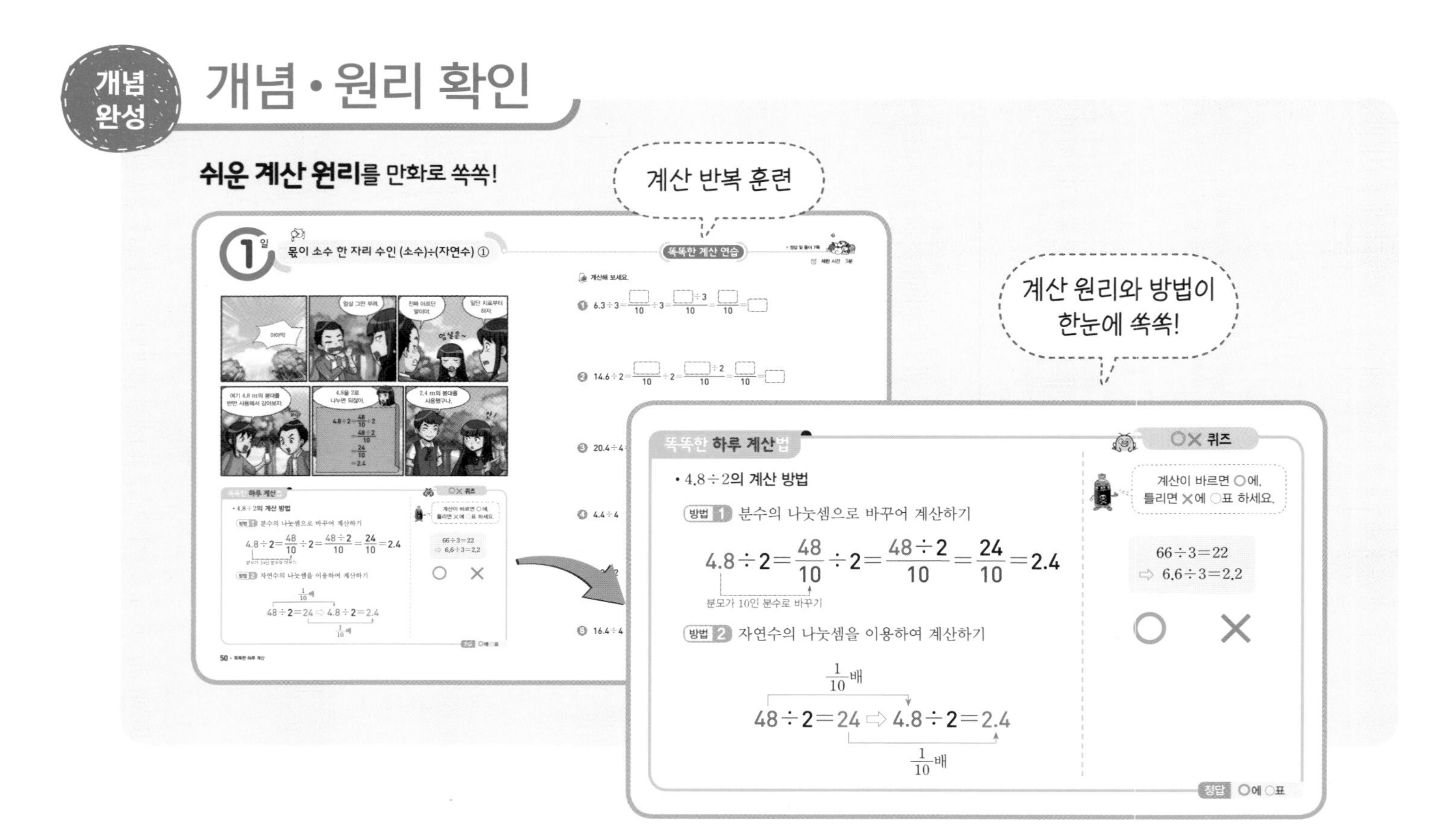

집중
학습

기초 집중 연습

다양한 형태의 계산 문제를 **반복**하여 완벽하게 익히기!

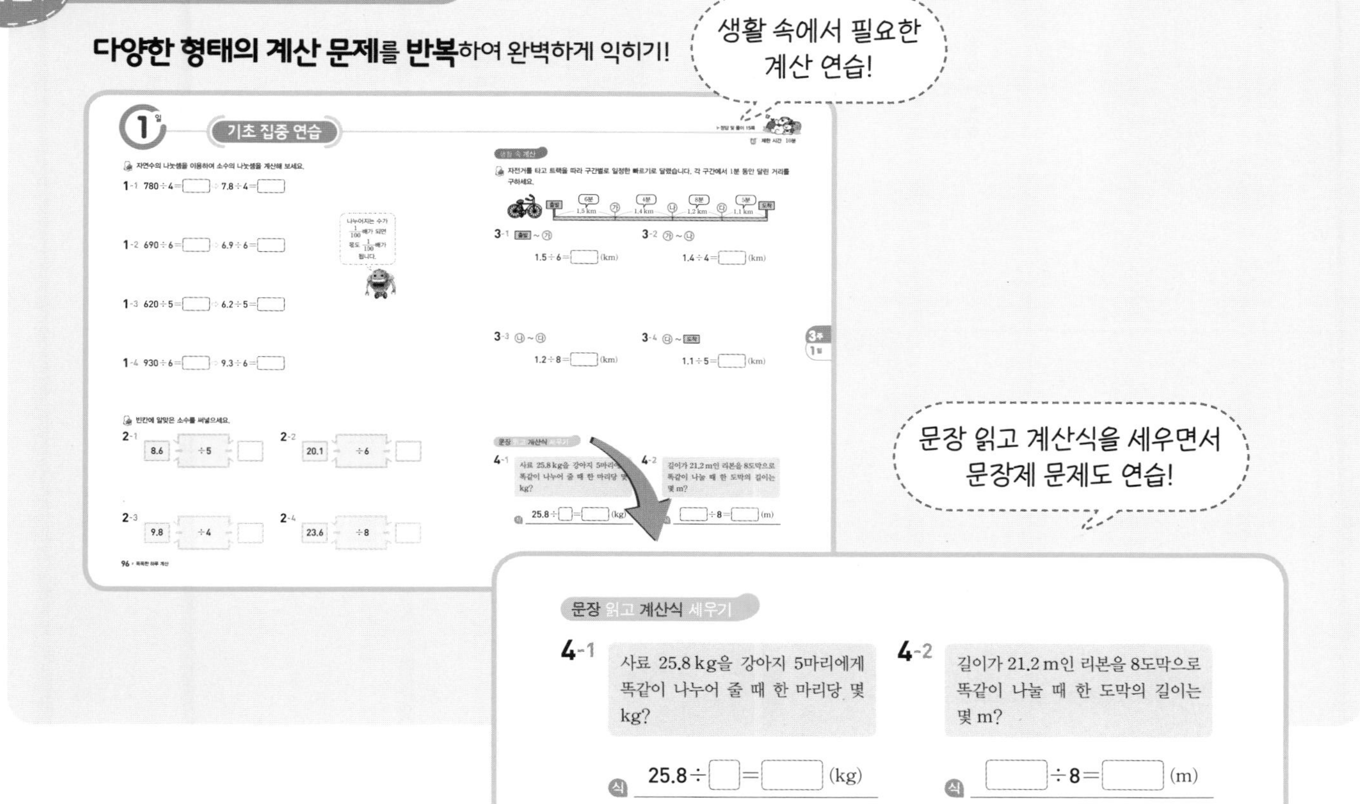

생활 속에서 필요한
계산 연습!

1일 기초 집중 연습

자연수의 나눗셈을 이용하여 소수의 나눗셈을 계산해 보세요.

1-1 780÷4=☐ 7.8÷4=☐

1-2 690÷6=☐ 6.9÷6=☐

1-3 620÷5=☐ 6.2÷5=☐

1-4 930÷6=☐ 9.3÷6=☐

빈칸에 알맞은 소수를 써넣으세요.

2-1 8.6 ÷5 ☐

2-2 20.1 ÷6 ☐

2-3 9.8 ÷4 ☐

2-4 23.6 ÷8 ☐

생활 속 계산

3-1 1.5÷6=☐ (km)

3-2 1.4÷4=☐ (km)

3-3 1.2÷8=☐ (km)

3-4 1.1÷5=☐ (km)

문장 읽고 계산식을 세우면서
문장제 문제도 연습!

문장 읽고 계산식 세우기

4-1 사료 25.8 kg을 강아지 5마리에게 똑같이 나누어 줄 때 한 마리당 몇 kg?

식 25.8÷☐=☐ (kg)

4-2 길이가 21.2 m인 리본을 8도막으로 똑같이 나눌 때 한 도막의 길이는 몇 m?

식 ☐÷8=☐ (m)

평가·특강

평가 + 창의·융합·코딩

한 주에 **배운 내용**을 **테스트**로 마무리!

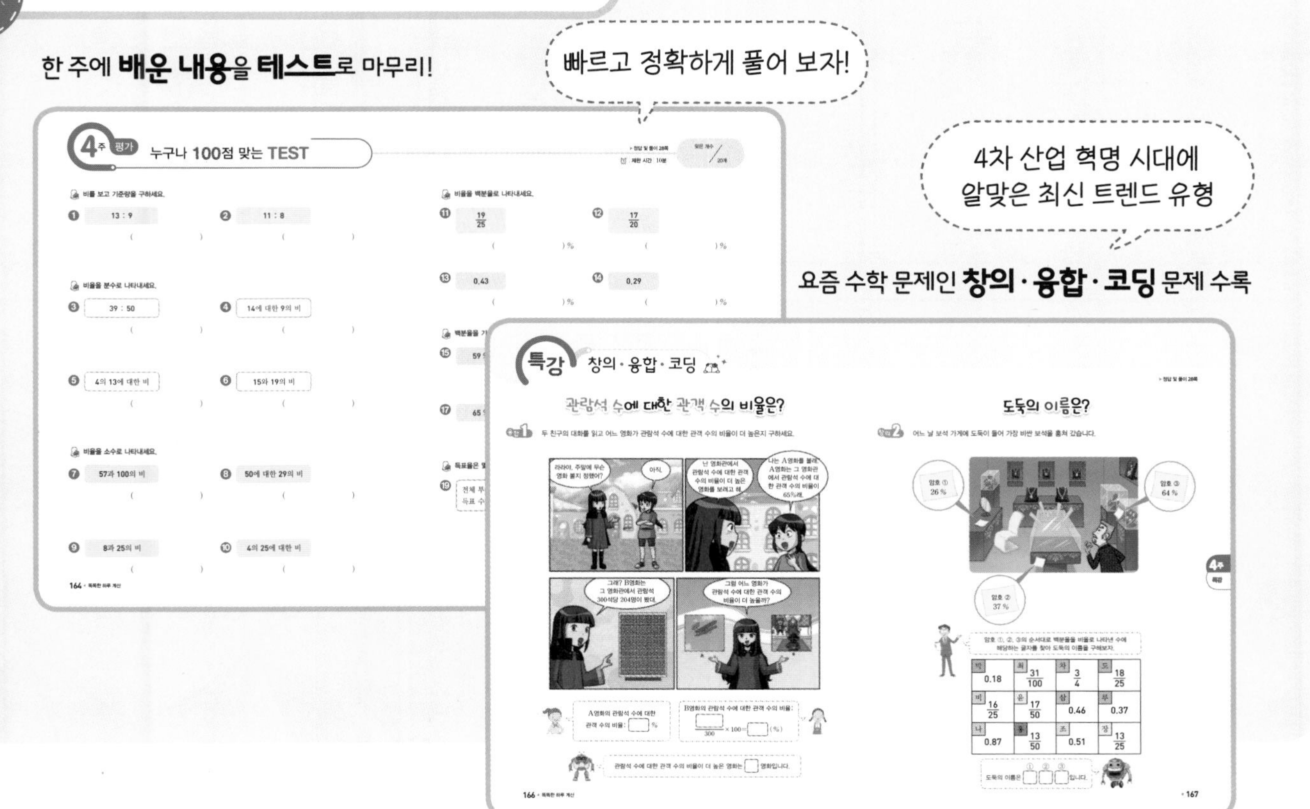

빠르고 정확하게 풀어 보자!
4차 산업 혁명 시대에
알맞은 최신 트렌드 유형
요즘 수학 문제인 창의·융합·코딩 문제 수록
4주 평가 누구나 100점 맞는 TEST
특강 창의·융합·코딩
관람석 수에 대한 관객 수의 비율은?
도둑의 이름은?

1
주

분수의 나눗셈

얘들아,
기다리고 기다리던
몬스터 헌터 학교

졸업이 다가
오고 있단다.

즉! 너희는 곧
몬스터 헌터가
된다는 말이지!

앞으로 절
용사 헌터 '라라'라고
불러 주세요!!
이 얍!

전 무술 헌터
'호야'!
훗!

쳇! 유치하기는
그럼 난 마법 헌터
'엘리'냐?
피ー

오홍!
멋진데~.
유치하거든!
에휴~

하하하~ 좋다, 좋아!
이름이 뭐든 어떻겠니.

하지만 중요한 사실을
잊고 있구나!

이번에 배울 내용을 알아볼까요? 1

- 1일 (자연수)÷(자연수)의 몫을 분수로 나타내기
- 2일 (분수)÷(자연수)
- 3일 (분수)÷(자연수)를 분수의 곱셈으로 나타내기
- 4일 (대분수)÷(자연수)
- 5일 세 수의 계산

중… 중요한 사실?

졸업을 하기 위한
마지막 단계인
졸업 시험!

너희도 알다시피
이 시험을 통과하지
못하면…

졸업은 1년 후로
미루어진단다!!
그럴 수가…
으악! 1년 더
다녀야 한다고?
푸헹~

걱정마라!
내가 가르쳤던 학생 중
졸업 시험을 통과하지 못한
학생은 없다!

자! 그럼 예상
문제를 하나 내마!
1÷4의 몫은
얼마일까?
?
?

선생님!
문제를 잘못 내신 거 같아요.
4÷1 아닌가요?

1÷4의 몫을 분수로
나타낼 수 있는데… 이런
내가 안 알려줬나?

헉! 빨리빨리~
책 펴!

이번에 배울 내용을 알아볼까요? 

5-2 (진분수)×(단위분수)

시험장 가는 길
정답은 열려라 참깨! 들깨?!
$\frac{5}{6} \times \frac{1}{4}$
으이구! 그새 까먹었냐. 정답은 $\frac{5}{24}$ 잖아!

(진분수)×(단위분수)는 분모는 분모끼리, 분자는 분자끼리 곱해요.

$$\frac{5}{6}\times\frac{1}{4}=\frac{5\times1}{6\times4}=\frac{5}{24}$$

계산해 보세요.

1-1 $\frac{5}{8}\times\frac{1}{6}=\frac{5\times\square}{8\times\square}=\frac{\square}{\square}$

1-2 $\frac{6}{7}\times\frac{1}{4}=\frac{\overset{\square}{\cancel{6}}\times1}{7\times\underset{\square}{\cancel{4}}}=\frac{\square}{\square}$

1-3 $\frac{5}{6}\times\frac{1}{3}$

1-4 $\frac{4}{9}\times\frac{1}{8}$

5-2 (대분수)×(단위분수)

(대분수)×(단위분수)는 먼저 대분수를 가분수로 나타내야 한단다.

$$2\frac{2}{5} \times \frac{1}{3} = \frac{\overset{4}{\cancel{12}}}{5} \times \frac{1}{\underset{1}{\cancel{3}}} = \frac{4}{5}$$

계산해 보세요.

2-1 $2\frac{1}{2} \times \frac{1}{6} = \frac{\square}{2} \times \frac{1}{6} = \frac{\square}{\square}$

2-2 $1\frac{3}{7} \times \frac{1}{9} = \frac{\square}{7} \times \frac{1}{9} = \frac{\square}{\square}$

2-3 $1\frac{7}{8} \times \frac{1}{2}$

2-4 $3\frac{1}{3} \times \frac{1}{4}$

1일 (자연수)÷(자연수)의 몫을 분수로 나타내기 ①

그럼 졸업
시험장으로 가 볼까!
시험장

이 문제를
해결해야 문을 열
수 있구나.
제가
해 볼게요.

3÷4는 1/4이 3개
이니까…….
3÷4의
몫을 나타내세요.
0
1

이렇게 나타낼 수 있어요.
0
1

정답!
끼
이
익

얘들아~
들어가자!
선생님보다 엘리가
더 믿음직한 걸.

똑똑한 하루 계산법

• 1÷4의 몫을 분수로 나타내기

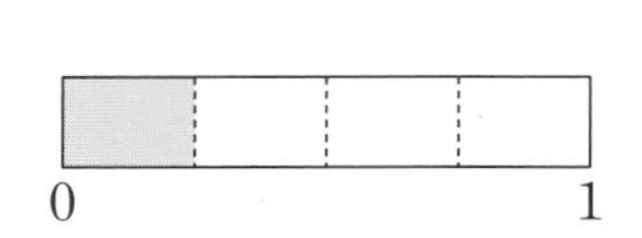
0
1

$$1 \div 4 = \frac{1}{4}$$ — $1 \div ■ = \frac{1}{■}$

• 3÷4의 몫을 분수로 나타내기

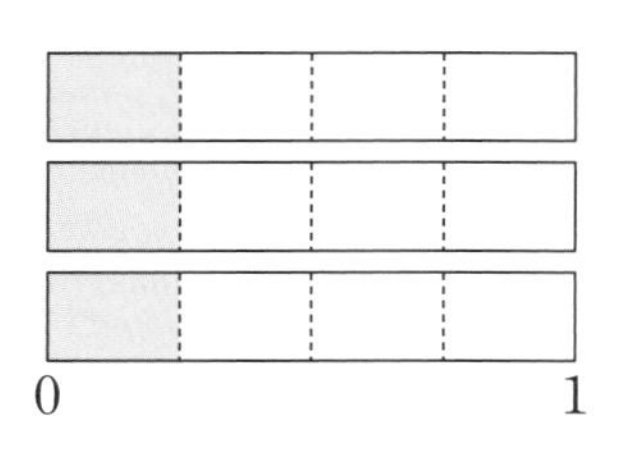
0
1

$$3 \div 4 = \frac{3}{4}$$ — $▲ \div ■ = \frac{▲}{■}$

OX 퀴즈

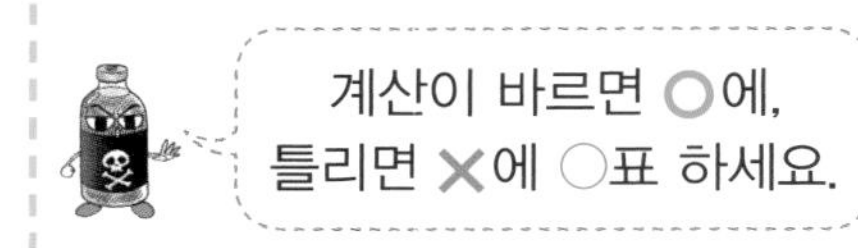
계산이 바르면 ○에,
틀리면 ×에 ○표 하세요.

$$2 \div 5 = \frac{5}{2}$$

○ ×

정답 ×에 ○표

똑똑한 계산 연습

▶정답 및 풀이 1쪽

제한 시간 3분

□ 안에 알맞은 수를 써넣으세요.

❶ $1 \div 2 = \frac{1}{\square}$

❷ $1 \div 8 = \frac{1}{\square}$

❸ $3 \div 5 = \frac{\square}{5}$

❹ $10 \div 13 = \frac{\square}{\square}$

나눗셈의 몫을 분수로 나타내어 보세요.

❺ $1 \div 3$

❻ $1 \div 5$

❼ $1 \div 7$

❽ $1 \div 15$

❾ $1 \div 11$

❿ $1 \div 24$

⓫ $2 \div 3$

⓬ $4 \div 9$

⓭ $7 \div 10$

⓮ $6 \div 13$

(자연수)÷(자연수)의 몫은
나누어지는 수를 분자,
나누는 수를 분모로 하는
분수로 나타낼 수 있어요.

1일 (자연수)÷(자연수)의 몫을 분수로 나타내기 ②

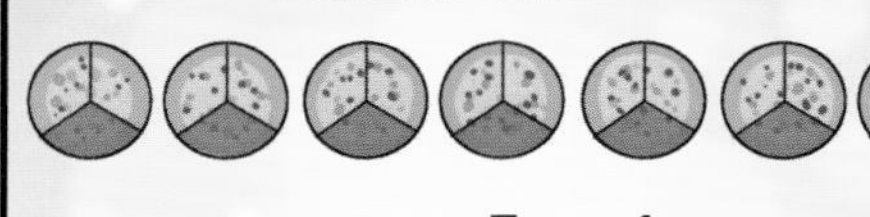

$7 \div 3 = \frac{7}{3} = 2\frac{1}{3}$

똑똑한 하루 계산법

• $7 \div 3$의 몫을 분수로 나타내기

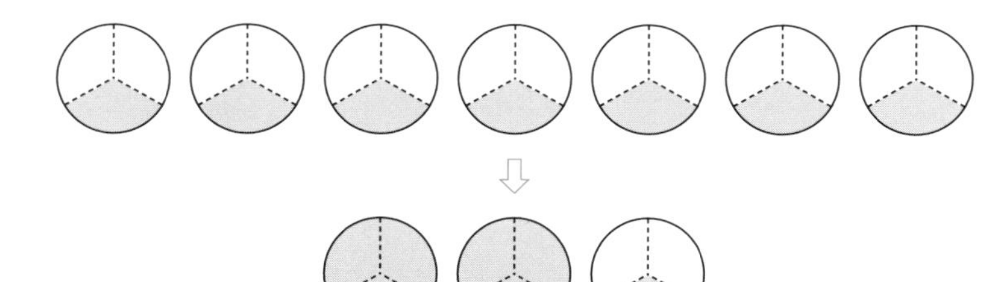

$7 \div 3$의 몫은 $\frac{1}{3}$이 7개이므로 $\frac{7}{3}$입니다.

⇨ $7 \div 3 = \frac{7}{3} = 2\frac{1}{3}$ → 가분수를 대분수로 나타낼 수 있습니다.

OX 퀴즈

계산이 바르면 ○에, 틀리면 ✕에 ○표 하세요.

$7 \div 2 = \frac{7}{2} = 3\frac{1}{2}$

정답 ○에 ○표

똑똑한 계산 연습

▶정답 및 풀이 1쪽

제한 시간 3분

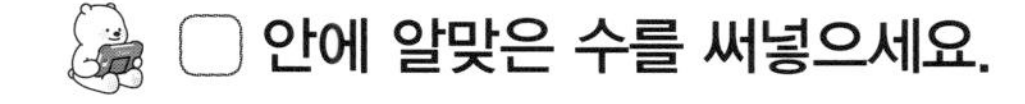

□ 안에 알맞은 수를 써넣으세요.

1. $5 \div 2 = \frac{\square}{2} = \square\frac{\square}{\square}$

2. $8 \div 7 = \frac{\square}{\square} = \square\frac{\square}{\square}$

3. $19 \div 4 = \frac{\square}{4} = \square\frac{\square}{\square}$

4. $25 \div 13 = \frac{\square}{\square} = \square\frac{\square}{\square}$

나눗셈의 몫을 분수로 나타내어 보세요.

5. $3 \div 2$

6. $7 \div 3$

7. $5 \div 4$

8. $11 \div 6$

9. $10 \div 7$

10. $19 \div 8$

11. $21 \div 10$

12. $18 \div 5$

13. $25 \div 9$

14. $37 \div 11$

1일 기초 집중 연습

 그림을 보고 ▢ 안에 알맞은 수를 써넣으세요.

1-1

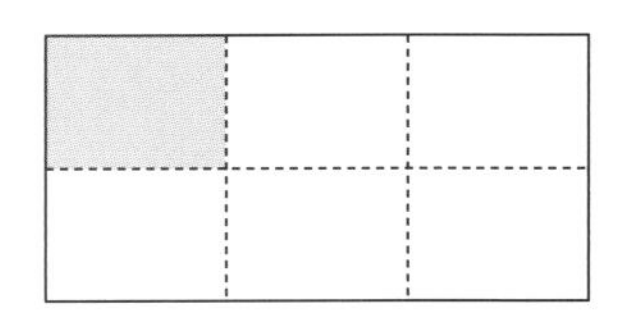

$1 \div 6 = \frac{\square}{\square}$

1-2

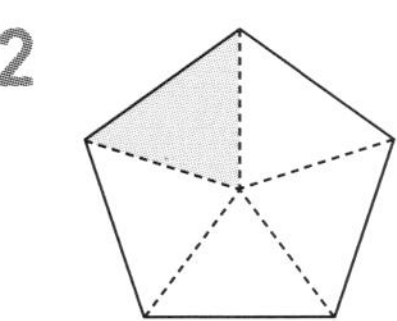

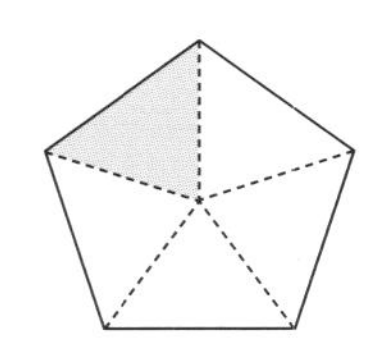

$2 \div 5 = \frac{\square}{\square}$

1-3

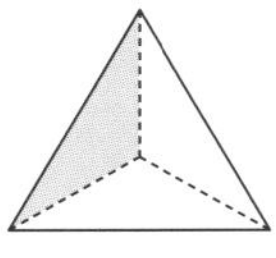

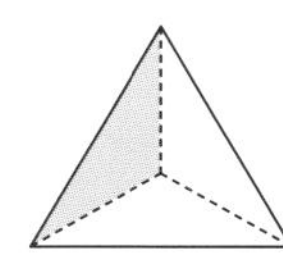

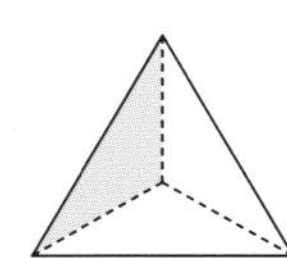

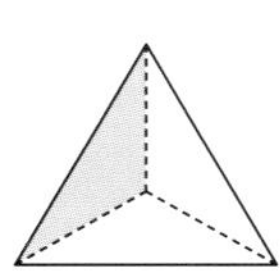

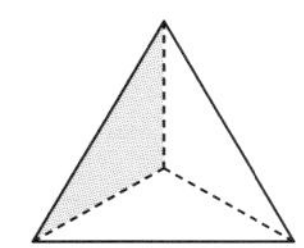

$5 \div 3 = \frac{\square}{\square} = \square\frac{\square}{\square}$

빈칸에 알맞은 분수를 써넣으세요.

2-1

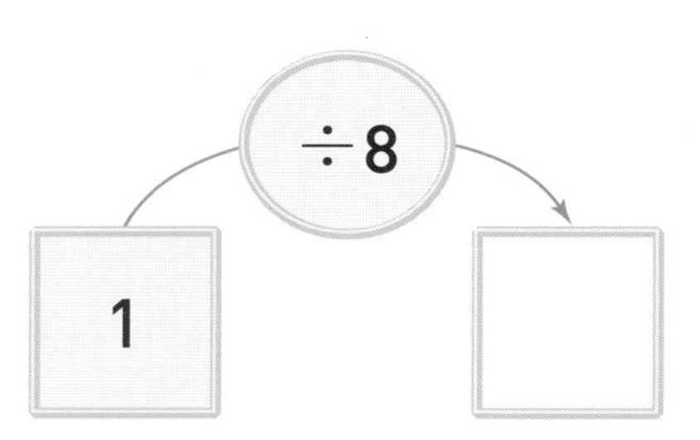

2-2

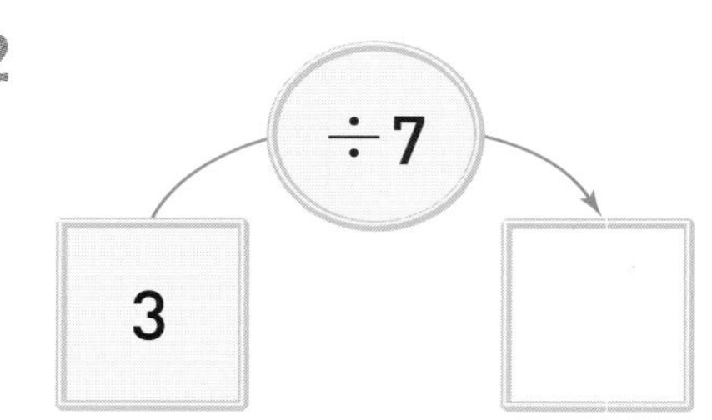

2-3

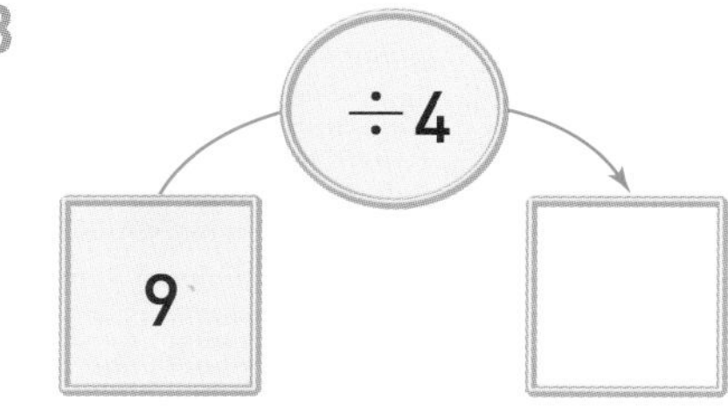

2-4

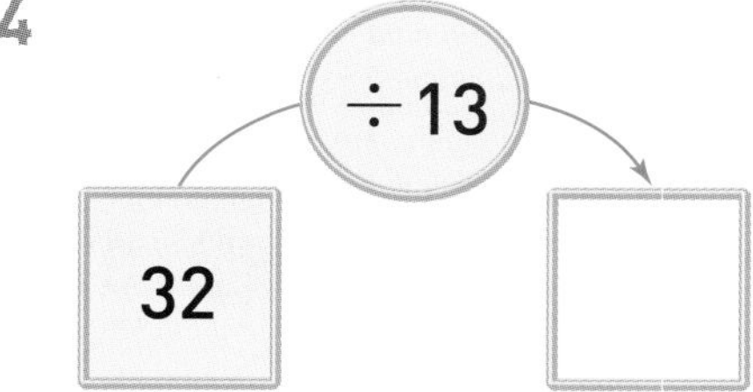

▶정답 및 풀이 1쪽

제한 시간 7분

생활 속 계산

 우유를 컵에 똑같이 나누어 담을 때 한 컵에 담기는 우유는 몇 L인지 구하세요.

3-1

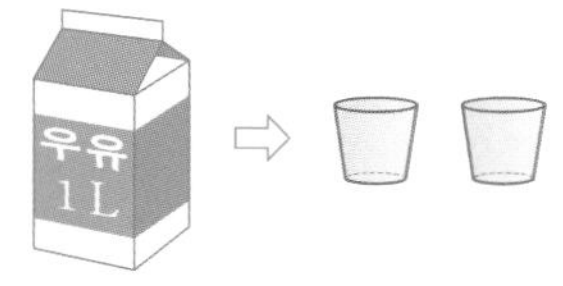

$1 \div 2 = \frac{\square}{\square}$ (L)

3-2

$1 \div 4 = \frac{\square}{\square}$ (L)

3-3

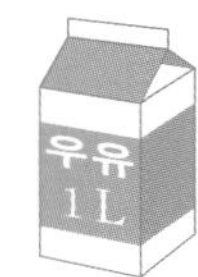

$3 \div 8 = \frac{\square}{\square}$ (L)

문장 읽고 계산식 세우기

4-1

주스 1 L를 3일 동안 똑같이 나누어 마시면 하루에 몇 L?

$1 \div 3 = \frac{\square}{\square}$ (L)

식 ____________________

4-2

주스 4 L를 5일 동안 똑같이 나누어 마시면 하루에 몇 L?

$4 \div 5 = \frac{\square}{\square}$ (L)

식 ____________________

4-3

보리차 9 L를 7일 동안 똑같이 나누어 마시면 하루에 몇 L?

$9 \div 7 = \frac{\square}{\square} = \square\frac{\square}{\square}$ (L)

식 ____________________

4-4

보리차 8 L를 3일 동안 똑같이 나누어 마시면 하루에 몇 L?

$8 \div 3 = \frac{\square}{\square} = \square\frac{\square}{\square}$ (L)

식 ____________________

1주 1일

(분수)÷(자연수) ①

똑똑한 하루 계산법

• **분자가 자연수의 배수인 (분수)÷(자연수)**

예 $\frac{8}{9}\div2$의 계산

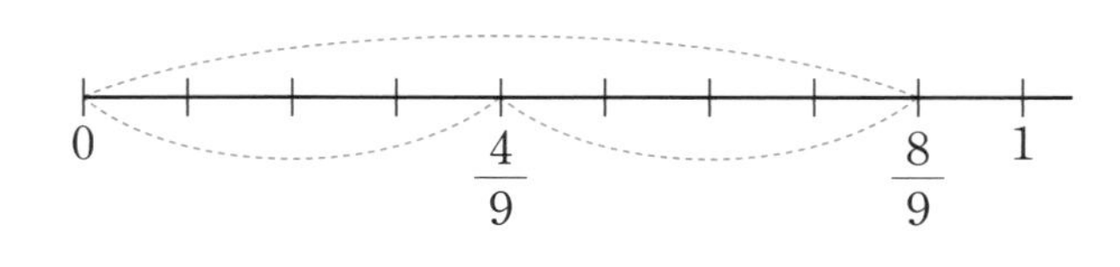

$$\frac{8}{9}\div2=\frac{8\div2}{9}=\frac{4}{9}$$

— $\frac{▲}{●}\div■=\frac{▲\div■}{●}$

분자가 자연수의 배수일 때에는 분자를
자연수로 나누고 분모는 그대로 씁니다.

계산이 바르면 ○에,
틀리면 ×에 ○표 하세요.

$$\frac{10}{13}\div5=\frac{10\div5}{13}=\frac{2}{13}$$

정답 ○에 ○표

똑똑한 계산 연습

▶정답 및 풀이 2쪽

제한 시간 5분

□ 안에 알맞은 수를 써넣으세요.

❶ $\frac{2}{5} \div 2 = \frac{\square \div \square}{5} = \frac{\square}{5}$

❷ $\frac{8}{9} \div 4 = \frac{\square \div \square}{9} = \frac{\square}{9}$

❸ $\frac{15}{17} \div 3 = \frac{\square \div \square}{17} = \frac{\square}{17}$

❹ $\frac{21}{26} \div 7 = \frac{\square \div \square}{26} = \frac{\square}{26}$

계산해 보세요.

❺ $\frac{3}{4} \div 3$

❻ $\frac{4}{7} \div 2$

❼ $\frac{6}{13} \div 6$

❽ $\frac{10}{11} \div 2$

❾ $\frac{12}{13} \div 4$

❿ $\frac{9}{14} \div 3$

⓫ $\frac{14}{15} \div 7$

⓬ $\frac{16}{19} \div 8$

(분수)÷(자연수) ②

아무리 시험이라지만
너무 강하잖아!
그러게
말이다
하악
하악

라라야! 혹시 남은
물 없어?
$\frac{3}{4}$ L 남았으니
똑같이 나누어
마시자.

$\frac{3}{4}=\frac{6}{8}$이니까
$\frac{6}{8}\div2=\frac{6\div2}{8}=\frac{3}{8}$
$\frac{3}{8}$ L씩 마시면 되겠다.

똑똑한 하루 계산법

• **분자가 자연수의 배수가 아닌 (분수)÷(자연수)**

예 $\frac{3}{4}\div2$의 계산

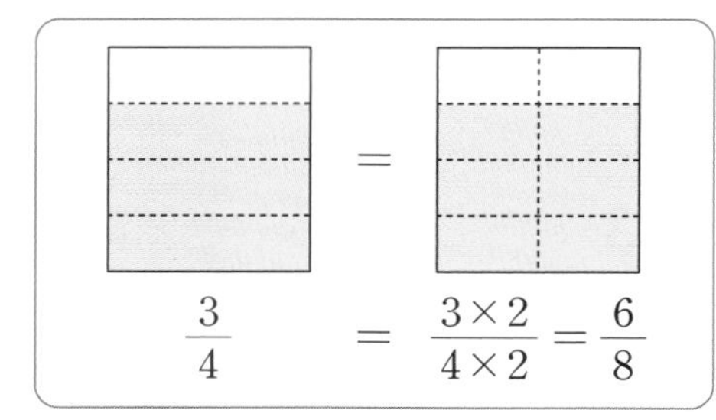

$\frac{3}{4}=\frac{3\times2}{4\times2}=\frac{6}{8}$

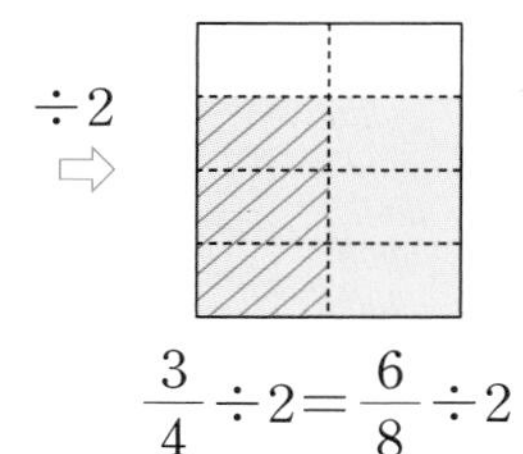

$\frac{3}{4}\div2=\frac{6}{8}\div2$

$$\frac{3}{4}\div2=\frac{6}{8}\div2=\frac{6\div2}{8}=\frac{3}{8}$$

$\frac{3}{4}$의 분자 3은 2로 나누어떨어지지 않으므로 분자가 2로 나누어떨어지는 크기가 같은 분수로 바꾸어 계산합니다.

OX 퀴즈

그림을 보고 계산이 바르면 ○에, 틀리면 ×에 ○표 하세요.

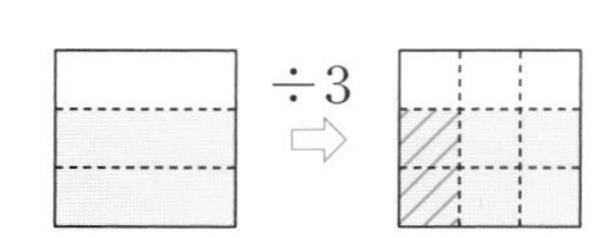

$\frac{2}{3}\div3=\frac{6}{9}\div3=\frac{2}{9}$

정답 ○에 ○표

똑똑한 계산 연습

▶ 정답 및 풀이 2쪽

제한 시간 5분

 ▢ 안에 알맞은 수를 써넣으세요.

❶ $\frac{2}{5} \div 3 = \frac{\square}{15} \div 3 = \frac{\square \div \square}{15} = \frac{\square}{15}$

분자가 자연수의 배수가 아닐 때에는 크기가 같은 분수 중에 분자가 자연수의 배수인 수로 바꾸어 계산해요.

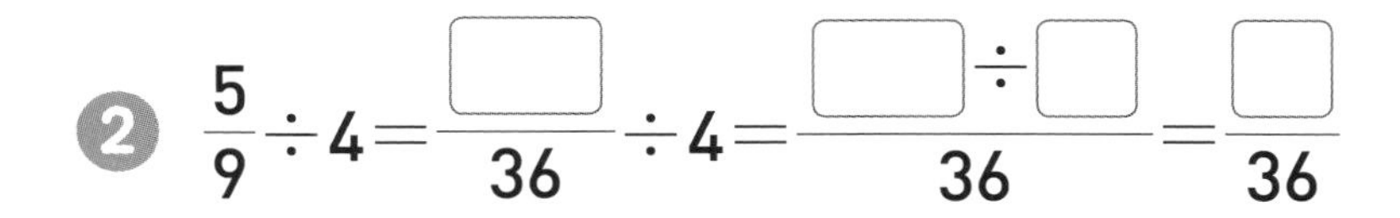

❷ $\frac{5}{9} \div 4 = \frac{\square}{36} \div 4 = \frac{\square \div \square}{36} = \frac{\square}{36}$

계산해 보세요.

❸ $\frac{3}{7} \div 4$

❹ $\frac{3}{4} \div 5$

❺ $\frac{5}{6} \div 2$

❻ $\frac{7}{10} \div 3$

❼ $\frac{11}{12} \div 7$

❽ $\frac{5}{8} \div 6$

❾ $\frac{8}{15} \div 5$

❿ $\frac{16}{21} \div 9$

1주 2일

2일 기초 집중 연습

 나눗셈의 몫을 빗금으로 그어 보고, ☐ 안에 알맞은 수를 써넣으세요.

1-1

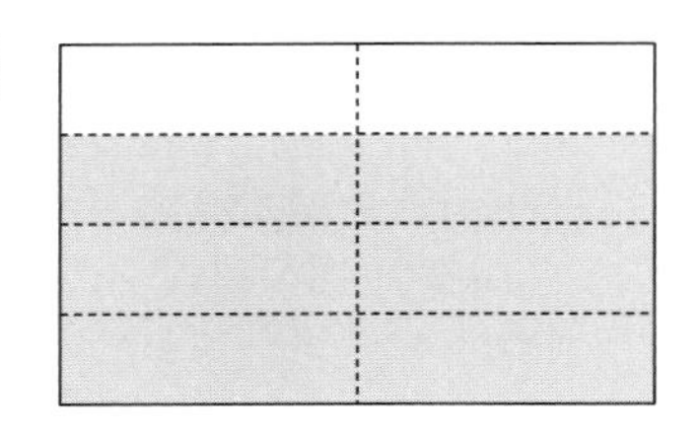

$\frac{3}{4} \div 2 = \frac{\square}{\square}$

1-2

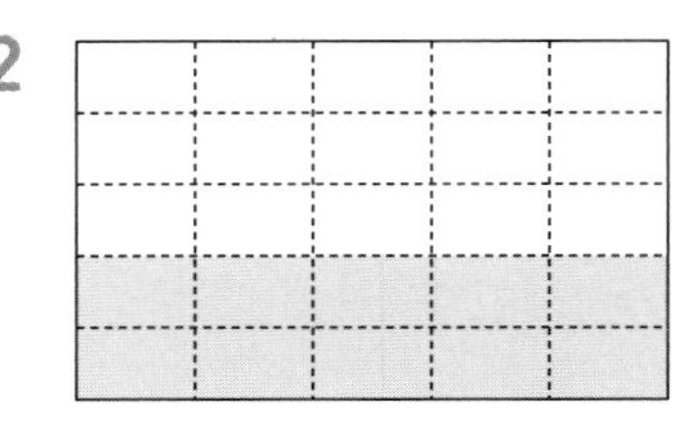

$\frac{2}{5} \div 5 = \frac{\square}{\square}$

 빈칸에 알맞은 수를 써넣으세요.

2-1 $\frac{8}{9} \div 4 = $ ☐

2-2 $\frac{10}{13} \div 5 = $ ☐

2-3 $\frac{12}{17} \div 2 = $ ☐

2-4 $\frac{28}{29} \div 7 = $ ☐

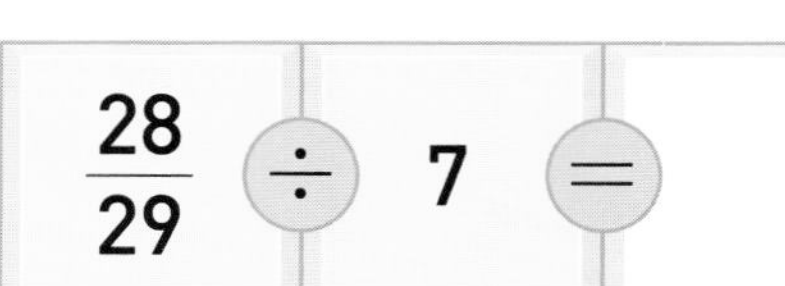

2-5 $\frac{3}{8} \div 8 = $ ☐

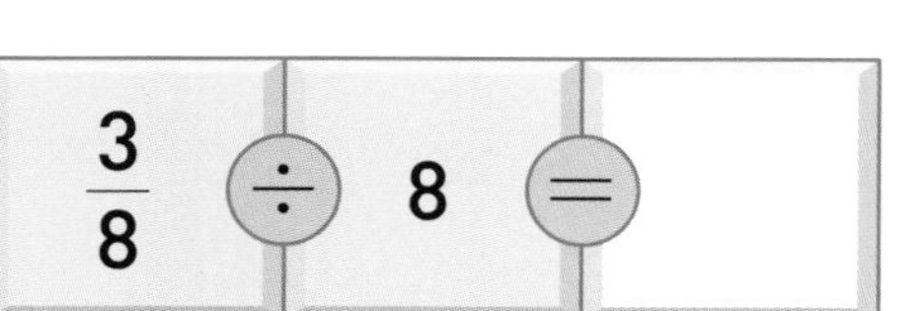

2-6 $\frac{5}{11} \div 6 = $ ☐

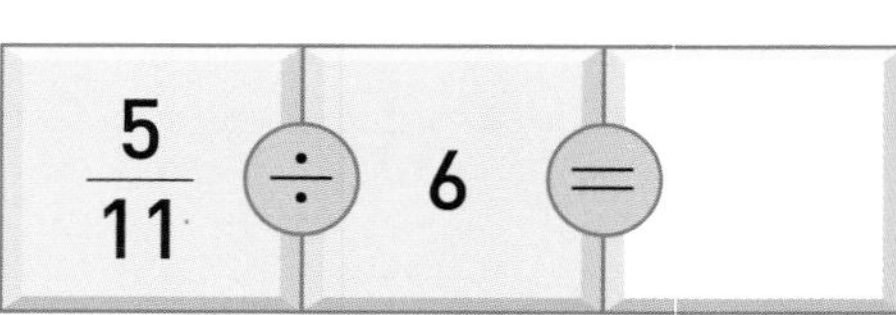

제한 시간 10분

생활 속 계산

끈을 똑같이 나누었을 때 한 도막의 길이는 몇 m인지 구하세요.

3-1 $\frac{4}{5}$ m

$\frac{4}{5} \div 2 = \frac{\square}{\square}$ (m)

3-2 $\frac{9}{10}$ m

$\frac{9}{10} \div 3 = \frac{\square}{\square}$ (m)

3-3 $\frac{15}{16}$ m

$\frac{15}{16} \div 3 = \frac{\square}{\square}$ (m)

3-4 $\frac{16}{25}$ m

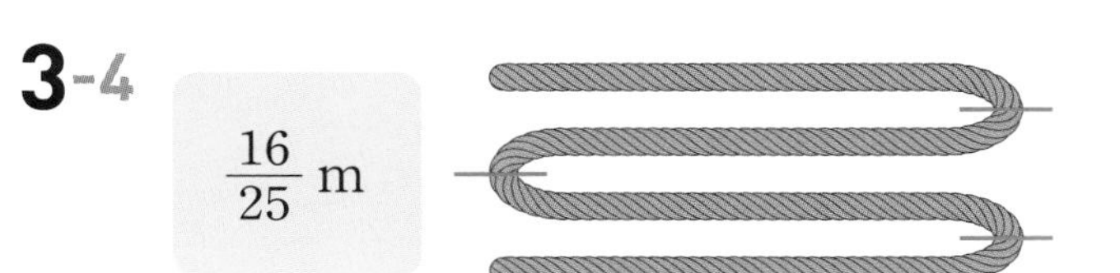

$\frac{16}{25} \div 4 = \frac{\square}{\square}$ (m)

문장 읽고 계산식 세우기

4-1 색 테이프 $\frac{7}{8}$ m를 2명이 똑같이 나누어 가지면 한 명은 몇 m?

$\frac{7}{8} \div 2 = \frac{\square}{\square}$ (m)

식 ______________________

4-2 색 테이프 $\frac{13}{20}$ m를 5명이 똑같이 나누어 가지면 한 명은 몇 m?

$\frac{13}{20} \div 5 = \frac{\square}{\square}$ (m)

식 ______________________

1주 2일

3일 (분수)÷(자연수)를 분수의 곱셈으로 나타내기 ①

이 소리는~.
크 아 앙
몬스터!

저희가 도울게요!
이 몬스터의 약점은 배!
라
락

남은 에너지는 $\frac{4}{5}$야. 3명이 똑같이 나누어 공격하자.
크 아 아 앙

그럼 한 명당 얼마인데?

$\frac{4}{5}\div3$을 계산하면 돼.
$\frac{4}{5}\div3$의 몫은 $\frac{4}{5}$를 3등분한 것 중 하나입니다.
⇨ $\frac{4}{5}$의 $\frac{1}{3}$이므로
$\frac{4}{5}\div3=\frac{4}{5}\times\frac{1}{3}=\frac{4}{15}$

으아악! 계산할 시간에 빨리 공격하라고~.
크 앙
이 얍
으악
얍!

똑똑한 하루 계산법

• $\frac{4}{5}\div3$을 **분수의 곱셈으로 나타내기** – (진분수)÷(자연수)

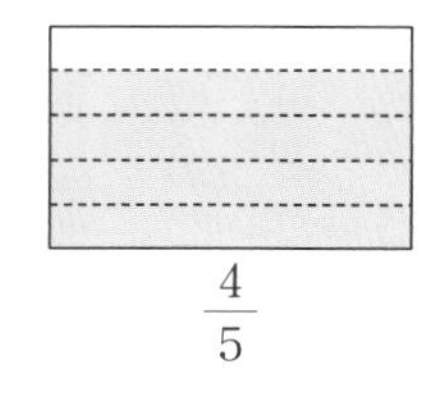

$\frac{4}{5}$

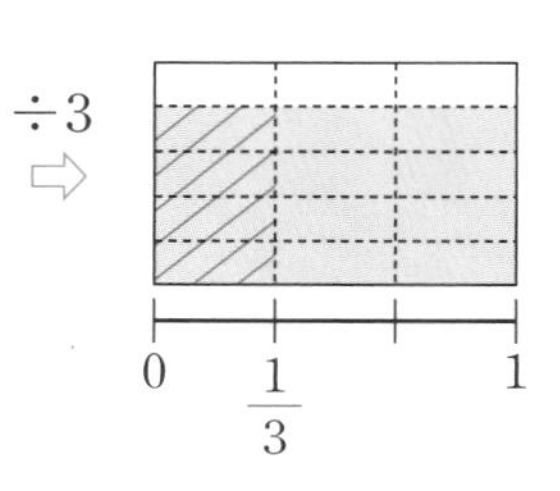

÷3
0
$\frac{1}{3}$
1

$\frac{4}{5}\div3$의 몫은 $\frac{4}{5}$를 3등분한 것 중의 하나예요.
이것은 $\frac{4}{5}$의 $\frac{1}{3}$이므로 $\frac{4}{5}\div3=\frac{4}{5}\times\frac{1}{3}$이에요.

$$\frac{4}{5}\div3=\frac{4}{5}\times\frac{1}{3}=\frac{4}{15}$$

– $\frac{▲}{■}\div●=\frac{▲}{■}\times\frac{1}{●}$

OX 퀴즈

분수의 곱셈으로 나타낸 것이 바르면 ○에, 틀리면 ×에 ○표 하세요.

$$\frac{3}{7}\div4=\frac{3}{7}\times\frac{1}{4}$$

정답 ○에 ○표

똑똑한 계산 연습

▶ 정답 및 풀이 3쪽

제한 시간 5분

$\square$ 안에 알맞은 수를 써넣으세요.

❶ $\dfrac{3}{5} \div 2 = \dfrac{3}{5} \times \dfrac{1}{\square} = \dfrac{\square}{\square}$

❷ $\dfrac{5}{7} \div 3 = \dfrac{5}{7} \times \dfrac{1}{\square} = \dfrac{\square}{\square}$

❸ $\dfrac{1}{4} \div 7 = \dfrac{1}{4} \times \dfrac{\square}{\square} = \dfrac{\square}{\square}$

❹ $\dfrac{8}{9} \div 5 = \dfrac{8}{9} \times \dfrac{1}{\square} = \dfrac{\square}{\square}$

계산해 보세요.

❺ $\dfrac{5}{6} \div 3$

❻ $\dfrac{4}{7} \div 5$

❼ $\dfrac{3}{10} \div 8$

❽ $\dfrac{7}{12} \div 2$

❾ $\dfrac{3}{8} \div 4$

❿ $\dfrac{4}{15} \div 5$

⓫ $\dfrac{5}{13} \div 2$

⓬ $\dfrac{11}{20} \div 6$

(분수)÷(자연수)를 분수의 곱셈으로 나타내기 ②

똑똑한 하루 계산법

• $\frac{3}{2}\div 4$를 분수의 곱셈으로 나타내기 — (가분수)÷(자연수)

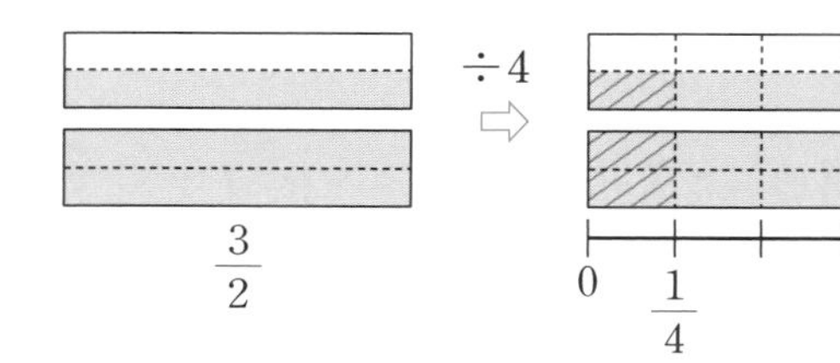

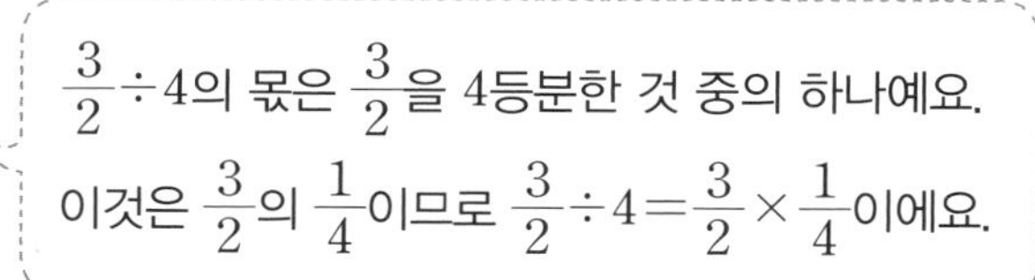

$$\frac{3}{2}\div 4=\frac{3}{2}\times\frac{1}{4}=\frac{3}{8}$$

→ ÷●를 $\times\frac{1}{●}$로 바꾸어 계산합니다.

○× 퀴즈

분수의 곱셈으로 나타낸 것이 바르면 ○에, 틀리면 ×에 ○표 하세요.

$$\frac{9}{4}\div 2=\frac{4}{9}\times\frac{1}{2}$$

○ ×

정답 ×에 ○표

똑똑한 계산 연습

▶정답 및 풀이 3쪽

 $\square$ 안에 알맞은 수를 써넣으세요.

❶ $\dfrac{5}{4} \div 2 = \dfrac{5}{4} \times \dfrac{1}{\square} = \dfrac{5}{\square}$

❷ $\dfrac{11}{7} \div 6 = \dfrac{11}{7} \times \dfrac{1}{\square} = \dfrac{\square}{\square}$

❸ $\dfrac{10}{3} \div 3 = \dfrac{10}{3} \times \dfrac{1}{\square} = \dfrac{\square}{\square} = \square\dfrac{\square}{\square}$

$\div$(자연수)를 $\times \dfrac{1}{(\text{자연수})}$로 바꾸어 계산해요.

계산해 보세요.

❹ $\dfrac{9}{5} \div 2$

❺ $\dfrac{14}{9} \div 3$

❻ $\dfrac{11}{6} \div 8$

❼ $\dfrac{27}{8} \div 4$

❽ $\dfrac{19}{12} \div 5$

❾ $\dfrac{21}{13} \div 2$

❿ $\dfrac{25}{7} \div 3$

⓫ $\dfrac{15}{8} \div 7$

1주 3일

3일 기초 집중 연습

관계있는 것끼리 선으로 이어 보세요.

1-1

$\frac{3}{8} \div 9$ •	• $\frac{3}{4} \times \frac{1}{8}$
$\frac{2}{9} \div 3$ •	• $\frac{2}{9} \times \frac{1}{3}$
$\frac{3}{4} \div 8$ •	• $\frac{3}{8} \times \frac{1}{9}$

1-2

$\frac{11}{4} \div 2$ •	• $\frac{14}{5} \times \frac{1}{3}$
$\frac{14}{5} \div 3$ •	• $\frac{11}{4} \times \frac{1}{2}$
$\frac{11}{5} \div 4$ •	• $\frac{11}{5} \times \frac{1}{4}$

빈칸에 알맞은 기약분수를 써넣으세요.

2-1 $\frac{1}{3}$ → $\div 2$ → □

2-2 $\frac{2}{5}$ → $\div 5$ → □

2-3 $\frac{10}{13}$ → $\div 3$ → □

2-4 $\frac{14}{15}$ → $\div 6$ → □

2-5 $\frac{20}{7}$ → $\div 9$ → □

2-6 $\frac{21}{4}$ → $\div 4$ → □

제한 시간 10분

생활 속 계산

전자저울의 무게를 보고 과일 한 개의 무게는 몇 kg인지 구하세요. (단, 각각의 과일의 무게는 모두 같습니다.)

3-1

$\frac{7}{8} \div 2 = \frac{\square}{\square}$ (kg)

3-2

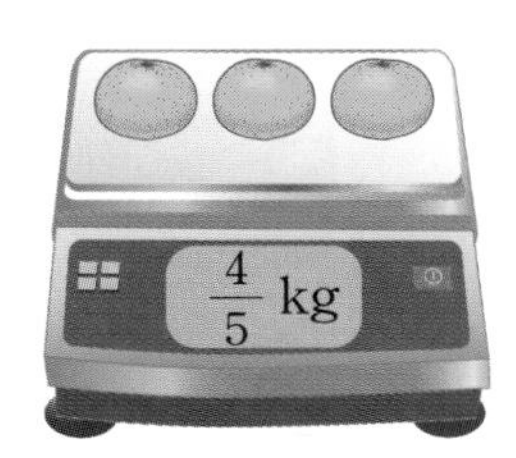

$\frac{4}{5} \div 3 = \frac{\square}{\square}$ (kg)

3-3

$\frac{9}{4} \div 5 = \frac{\square}{\square}$ (kg)

3-4

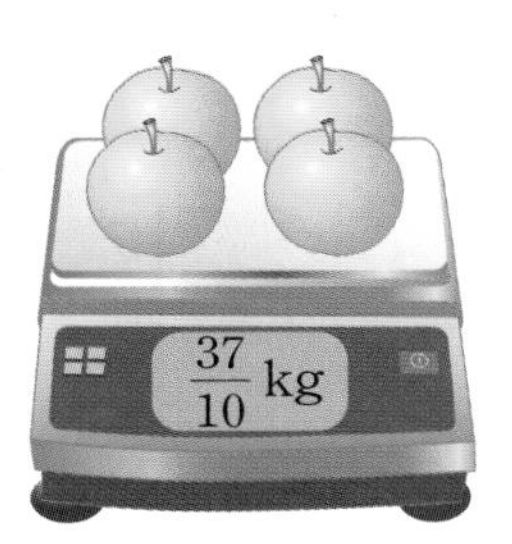

$\frac{37}{10} \div 4 = \frac{\square}{\square}$ (kg)

문장 읽고 계산식 세우기

4-1

무게가 똑같은 토마토 6개의 무게가 $\frac{7}{10}$ kg일 때 토마토 한 개의 무게는 몇 kg?

$\frac{7}{10} \div 6 = \frac{\square}{\square}$ (kg)

식 ______________________

4-2

무게가 똑같은 복숭아 4개의 무게가 $\frac{19}{8}$ kg일 때 복숭아 한 개의 무게는 몇 kg?

$\frac{19}{8} \div 4 = \frac{\square}{\square}$ (kg)

식 ______________________

1주 3일

(대분수)÷(자연수) ①

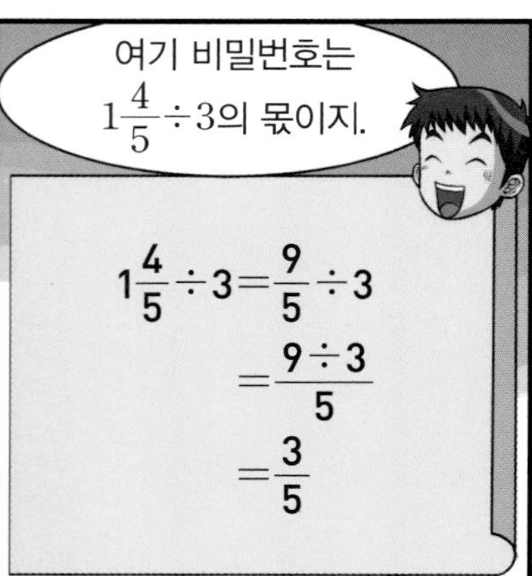

똑똑한 하루 계산법

• **분자가 자연수의 배수인 (대분수)÷(자연수)**

예 $1\frac{4}{5} \div 3$의 계산

방법 1 대분수를 가분수로 바꾸고 분자를 3으로 나누어 계산하기

$$1\frac{4}{5} \div 3 = \frac{9}{5} \div 3 = \frac{9 \div 3}{5} = \frac{3}{5}$$

대분수를 가분수로 바꿉니다.

방법 2 대분수를 가분수로 바꾸고 나눗셈을 곱셈으로 나타내어 계산하기

$$1\frac{4}{5} \div 3 = \frac{9}{5} \div 3 = \frac{\overset{3}{\cancel{9}}}{5} \times \frac{1}{\underset{1}{\cancel{3}}} = \frac{3}{5}$$

계산 과정에서 약분합니다.

똑똑한 계산 연습

▶ 정답 및 풀이 4쪽

제한 시간 5분

□ 안에 알맞은 수를 써넣으세요.

❶ $1\frac{1}{5} \div 2 = \frac{\square}{5} \div 2 = \frac{\square \div \square}{5} = \frac{\square}{5}$

❷ $2\frac{2}{3} \div 4 = \frac{\square}{3} \div 4 = \frac{\square \div \square}{3} = \frac{\square}{3}$

❸ $1\frac{5}{9} \div 7 = \frac{\square}{9} \times \frac{1}{7} = \frac{\square}{9}$

❹ $2\frac{1}{7} \div 5 = \frac{\square}{7} \times \frac{1}{\square} = \frac{\square}{7}$

계산해 보세요.

❺ $2\frac{1}{4} \div 9$

❻ $1\frac{7}{8} \div 3$

❼ $1\frac{5}{7} \div 2$

❽ $4\frac{1}{6} \div 5$

❾ $3\frac{3}{7} \div 6$

❿ $5\frac{3}{5} \div 4$

(대분수)÷(자연수) ②

똑똑한 하루 계산법

• 분자가 자연수의 배수가 아닌 (대분수)÷(자연수)

예 $1\frac{2}{3}\div4$의 계산

방법 1 대분수를 가분수로 바꾸고 분수의 분자를 4의 배수로 바꾸어 계산하기

$$1\frac{2}{3}\div4=\frac{5}{3}\div4=\frac{20}{12}\div4=\frac{20\div4}{12}=\frac{5}{12}$$

대분수를 가분수로 바꿉니다.

분모와 분자에 각각 4를 곱합니다.

방법 2 대분수를 가분수로 바꾸고 나눗셈을 곱셈으로 나타내어 계산하기

$$1\frac{2}{3}\div4=\frac{5}{3}\div4=\frac{5}{3}\times\frac{1}{4}=\frac{5}{12}$$

▶정답 및 풀이 4쪽

제한 시간 5분

□ 안에 알맞은 수를 써넣으세요.

❶ $1\frac{4}{7} \div 3 = \frac{\square}{7} \div 3 = \frac{\square}{21} \div 3 = \frac{\square \div \square}{21} = \frac{\square}{21}$

❷ $2\frac{3}{8} \div 4 = \frac{\square}{8} \div 4 = \frac{\square}{32} \div 4 = \frac{\square \div \square}{32} = \frac{\square}{\square}$

❸ $2\frac{1}{5} \div 6 = \frac{\square}{5} \times \frac{1}{6} = \frac{\square}{30}$

❹ $3\frac{1}{3} \div 7 = \frac{\square}{3} \times \frac{1}{7} = \frac{\square}{\square}$

계산해 보세요.

❺ $1\frac{2}{5} \div 3$

❻ $1\frac{8}{9} \div 3$

❼ $2\frac{5}{8} \div 5$

❽ $3\frac{1}{2} \div 6$

❾ $4\frac{1}{6} \div 2$

❿ $5\frac{5}{7} \div 3$

기초 집중 연습

보기 와 같이 계산해 보세요.

보기

$$1\frac{5}{7}\div 6=\frac{12}{7}\div 6=\frac{12\div 6}{7}=\frac{2}{7}$$

1-1 $6\frac{2}{3}\div 10$

1-2 $4\frac{4}{9}\div 5$

보기 와 같이 계산해 보세요.

보기

$$3\frac{2}{7}\div 4=\frac{23}{7}\div 4=\frac{23}{7}\times\frac{1}{4}=\frac{23}{28}$$

2-1 $3\frac{1}{2}\div 4$

2-2 $2\frac{1}{6}\div 6$

빈칸에 알맞은 기약분수를 써넣으세요.

3-1

$5\frac{1}{7}$	$\div 9$	

3-2

$3\frac{1}{8}$	$\div 5$	

3-3

$3\frac{5}{9}$	$\div 11$	

3-4

$4\frac{1}{5}$	$\div 4$	

제한 시간 10분

생활 속 계산

친구들이 1분 동안 달린 거리는 몇 km인지 기약분수로 나타내어 보세요. (단, 각자 일정한 빠르기로 달립니다.)

4-1

5분 동안 $1\frac{1}{4}$ km를 달렸어요.

$1\frac{1}{4} \div 5 = \frac{\square}{\square}$ (km)

4-2

7분 동안 $2\frac{5}{8}$ km를 달렸어요.

$2\frac{5}{8} \div 7 = \frac{\square}{\square}$ (km)

4-3

6분 동안 $3\frac{2}{5}$ km를 달렸어요.

$3\frac{2}{5} \div 6 = \frac{\square}{\square}$ (km)

4-4

9분 동안 $6\frac{9}{10}$ km를 달렸어요.

$6\frac{9}{10} \div 9 = \frac{\square}{\square}$ (km)

문장 읽고 계산식 세우기

5-1

자동차가 일정한 빠르기로 4분 동안 $6\frac{2}{5}$ km를 달렸을 때 1분 동안 달린 거리는 몇 km?

식 $6\frac{2}{5} \div 4 = \square\frac{\square}{5}$ (km)

5-2

자동차가 일정한 빠르기로 6분 동안 $10\frac{1}{8}$ km를 달렸을 때 1분 동안 달린 거리는 몇 km?

식 $10\frac{1}{8} \div 6 = \square\frac{\square}{16}$ (km)

1주 4일

세 수의 계산 ①

똑똑한 하루 계산법

• (분수)×(자연수)÷(자연수), (분수)÷(자연수)×(자연수)

예 $\frac{7}{9}\times8\div6$의 계산

$$\frac{7}{9}\times8\div6=\frac{7}{9}\times\overset{4}{\cancel{8}}\times\frac{1}{\underset{3}{\cancel{6}}}=\frac{28}{27}=1\frac{1}{27}$$

÷6을 $\times\frac{1}{6}$로 바꾸어 세 수를 한꺼번에 계산한 후, 계산 결과가 가분수이면 대분수로 나타내요.

예 $2\frac{1}{4}\div5\times2$의 계산

$$2\frac{1}{4}\div5\times2=\frac{9}{4}\div5\times2=\frac{9}{\underset{2}{\cancel{4}}}\times\frac{1}{5}\times\overset{1}{\cancel{2}}=\frac{9}{10}$$

대분수를 가분수로 바꿉니다.

똑똑한 계산 연습

▶정답 및 풀이 5쪽

제한 시간 5분

□ 안에 알맞은 수를 써넣으세요.

나눗셈을 곱셈으로 나타내어 세 수를 한꺼번에 계산해요. 이때, 약분이 되면 약분하여 기약분수로 나타내요.

① $\frac{3}{7}\times5\div8=\frac{3}{7}\times5\times\frac{1}{\square}=\frac{\square}{\square}$

② $\frac{1}{5}\div4\times3=\frac{1}{5}\times\frac{1}{\square}\times3=\frac{\square}{\square}$

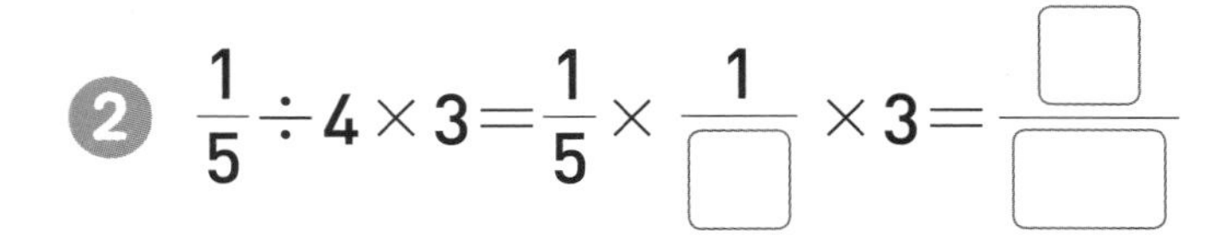

③ $1\frac{1}{8}\times5\div3=\frac{\square}{8}\times5\times\frac{1}{3}=\frac{\square}{8}=\square\frac{\square}{\square}$

④ $2\frac{2}{5}\div10\times7=\frac{\square}{5}\times\frac{1}{\square}\times7=\frac{\square}{25}=\square\frac{\square}{\square}$

계산해 보세요. (단, 결과는 기약분수로 나타내세요.)

⑤ $\frac{2}{9}\times2\div3$

⑥ $\frac{3}{10}\div2\times7$

⑦ $\frac{5}{8}\times3\div10$

⑧ $\frac{10}{13}\div15\times4$

⑨ $1\frac{7}{9}\times5\div8$

⑩ $2\frac{3}{4}\div4\times3$

1주 5일

세 수의 계산 ②

똑똑한 하루 계산법

• (분수)÷(자연수)÷(자연수)

예 $\frac{9}{10}\div2\div3$의 계산

$$\frac{9}{10}\div2\div3=\frac{\overset{3}{\cancel{9}}}{10}\times\frac{1}{2}\times\frac{1}{\underset{1}{\cancel{3}}}=\frac{3}{20}$$

예 $1\frac{5}{7}\div6\div5$의 계산

$$1\frac{5}{7}\div6\div5=\frac{12}{7}\div6\div5=\frac{\overset{2}{\cancel{12}}}{7}\times\frac{1}{\underset{1}{\cancel{6}}}\times\frac{1}{5}=\frac{2}{35}$$

대분수를 가분수로 바꿉니다.

세 수의 계산은 앞에서부터 두 수씩 차례로 계산하거나 세 수를 한꺼번에 계산할 수 있어요.

똑똑한 계산 연습

▶정답 및 풀이 5쪽

제한 시간 5분

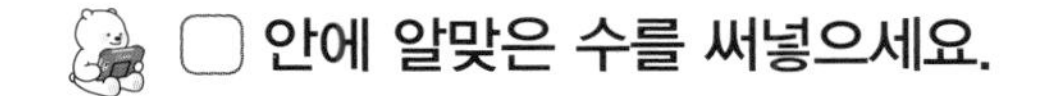

□ 안에 알맞은 수를 써넣으세요.

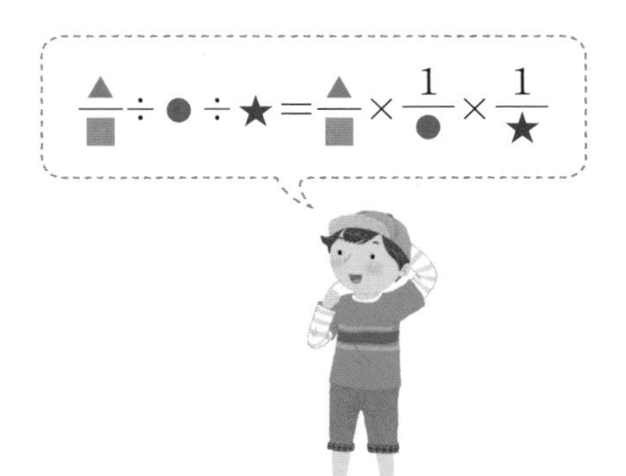

❶ $\frac{3}{5} \div 2 \div 4 = \frac{3}{5} \times \frac{1}{□} \times \frac{1}{4} = \frac{□}{□}$

❷ $\frac{8}{11} \div 6 \div 3 = \frac{8}{11} \times \frac{1}{□} \times \frac{1}{□} = \frac{4}{□}$

❸ $1\frac{2}{9} \div 7 \div 2 = \frac{□}{9} \times \frac{1}{□} \times \frac{1}{□} = \frac{□}{□}$

❹ $2\frac{1}{10} \div 5 \div 14 = \frac{□}{10} \times \frac{1}{□} \times \frac{1}{□} = \frac{3}{□}$

계산해 보세요. (단, 결과는 기약분수로 나타내세요.)

❺ $\frac{4}{9} \div 3 \div 5$

❻ $\frac{3}{8} \div 4 \div 2$

❼ $\frac{14}{17} \div 7 \div 3$

❽ $\frac{20}{21} \div 5 \div 3$

❾ $1\frac{6}{7} \div 8 \div 2$

❿ $2\frac{1}{4} \div 2 \div 6$

1주 5일

5일 기초 집중 연습

보기 와 같이 계산해 보세요.

보기

$$\frac{4}{9}\div8\div3=\frac{\overset{1}{\cancel{4}}}{9}\times\frac{1}{\underset{2}{\cancel{8}}}\div3=\frac{1}{18}\times\frac{1}{3}=\frac{1}{54}$$

1-1 $\frac{15}{16}\div3\div10$

1-2 $\frac{21}{25}\div14\div2$

빈칸에 알맞은 기약분수를 써넣으세요.

2-1

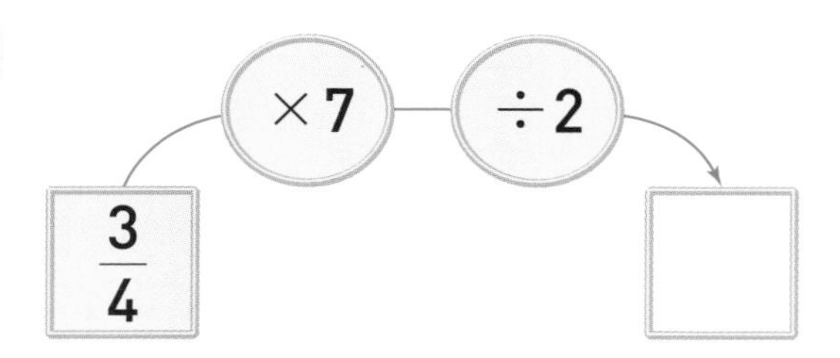

2-2

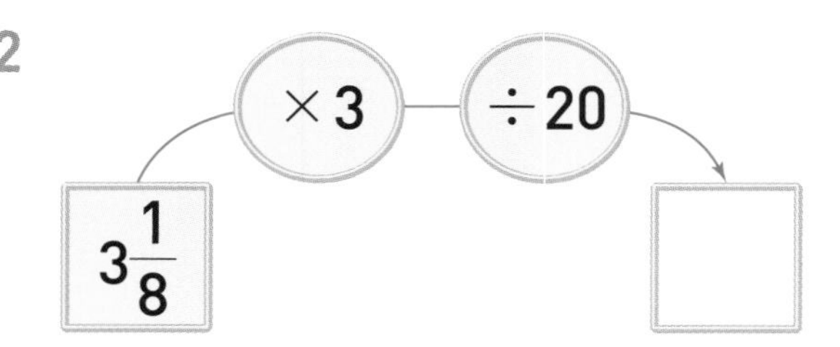

2-3

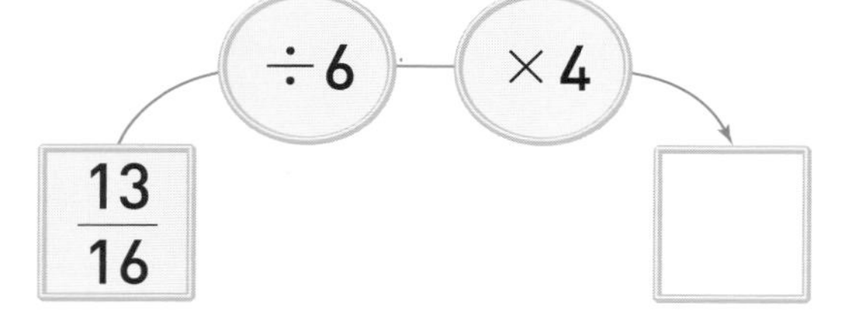

2-4

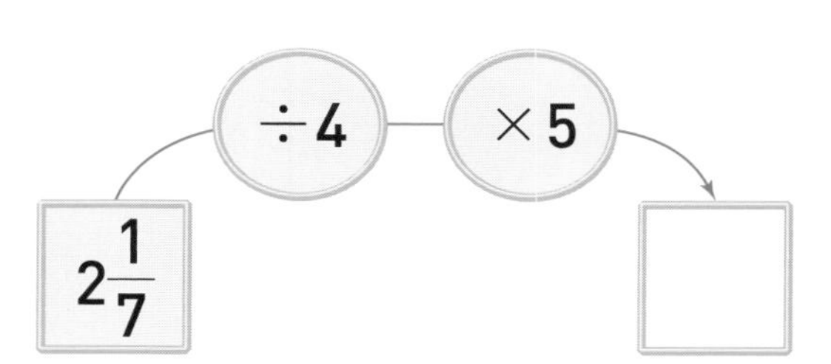

2-5

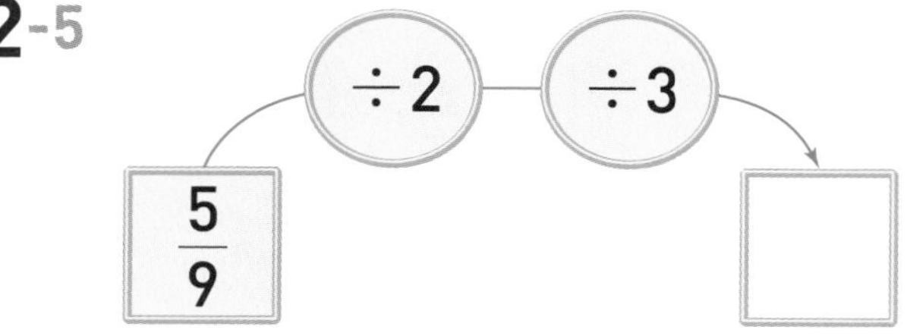

2-6

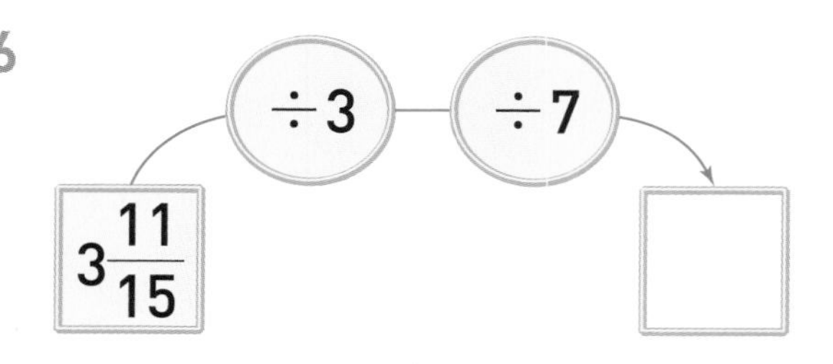

제한 시간 10분

생활 속 계산

잔디밭의 넓이는 몇 m^2인지 기약분수로 나타내어 보세요.

3-1

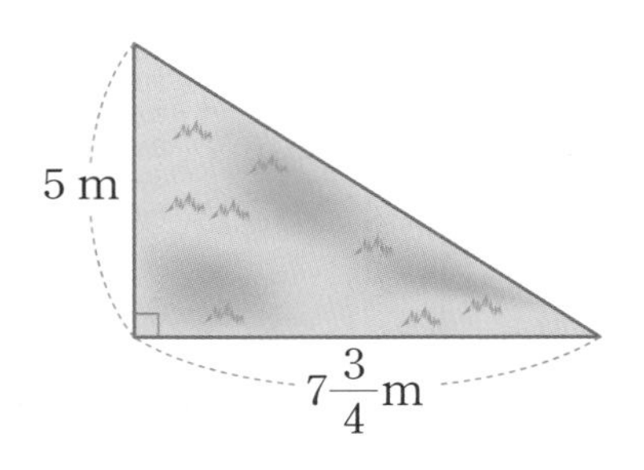

$7\frac{3}{4} \times 5 \div 2 = \square$ (m^2)

3-2

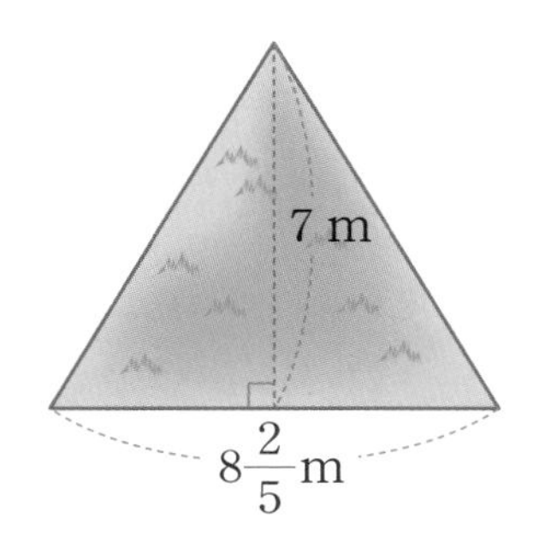

$8\frac{2}{5} \times 7 \div 2 = \square$ (m^2)

3-3

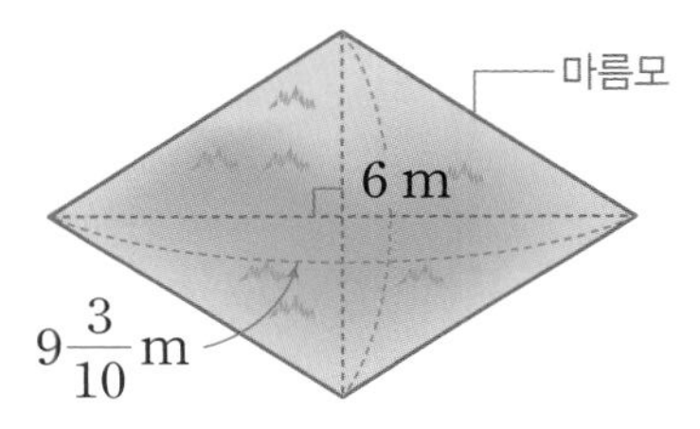

$9\frac{3}{10} \times 6 \div 2 = \square$ (m^2)

3-4

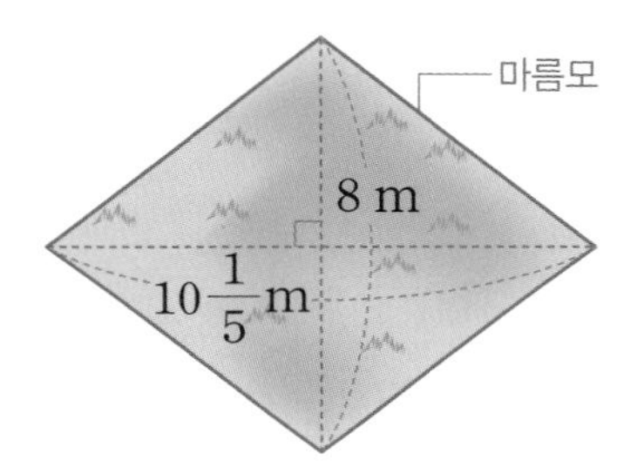

$10\frac{1}{5} \times 8 \div 2 = \square$ (m^2)

문장 읽고 계산식 세우기

4-1

넓이가 $1\frac{3}{8}$ m^2이고 밑변의 길이가 3 m인 삼각형 모양의 꽃밭의 높이는 몇 m?

식 $1\frac{3}{8} \times 2 \div 3 = \frac{\square}{12}$ (m)

4-2

넓이가 $2\frac{3}{16}$ m^2이고 한 대각선이 5 m인 마름모 모양의 꽃밭의 다른 대각선의 길이는 몇 m?

식 $2\frac{3}{16} \times 2 \div 5 = \frac{\square}{8}$ (m)

1주 5일

1주 평가 누구나 100점 맞는 TEST

계산해 보세요. (단, 결과는 기약분수로 나타내세요.)

① $1 \div 9$

② $5 \div 8$

③ $5 \div 4$

④ $13 \div 6$

⑤ $\frac{16}{19} \div 4$

⑥ $\frac{9}{10} \div 3$

⑦ $\frac{7}{10} \div 3$

⑧ $\frac{6}{11} \div 5$

⑨ $\frac{7}{4} \div 8$

⑩ $\frac{23}{6} \div 2$

▶정답 및 풀이 6쪽

맞은 개수 / 20개

제한 시간 10분

⑪ $1\frac{3}{5} \div 2$

⑫ $2\frac{1}{4} \div 3$

⑬ $1\frac{2}{7} \div 4$

⑭ $5\frac{3}{5} \div 21$

⑮ $\frac{6}{7} \times 4 \div 9$

⑯ $4\frac{1}{3} \times 2 \div 5$

⑰ $\frac{4}{5} \div 3 \times 2$

⑱ $1\frac{5}{9} \div 7 \times 4$

⑲ $\frac{9}{10} \div 2 \div 12$

⑳ $2\frac{5}{8} \div 3 \div 5$

제한 시간 안에 정확하게 모두 풀었다면
여러분은 진정한 **계산왕**!

창의 · 융합 · 코딩

비밀번호를 찾아라!

방에서 탈출하기 위한 비밀번호를 알아보세요.

위 ①, ②, ③의 □ 안에 알맞은 수를 찾아 비밀번호를 알아보자.

비밀번호는 ① □ ② □ ③ □ 입니다.

▶ 정답 및 풀이 6쪽

어울리는 사자성어는?

융합 2 ①~④에 알맞은 수를 구한 후 해당하는 글자를 찾아 다음 상황에 어울리는 사자성어를 알아보세요.

$$2\frac{8}{11} \div 20 = \frac{\boxed{①}}{11} \div 20 = \frac{\boxed{①}}{11} \times \frac{\boxed{②}}{\boxed{③}} = \frac{\boxed{④}}{22}$$

3	30	20	1
단	우	부	유

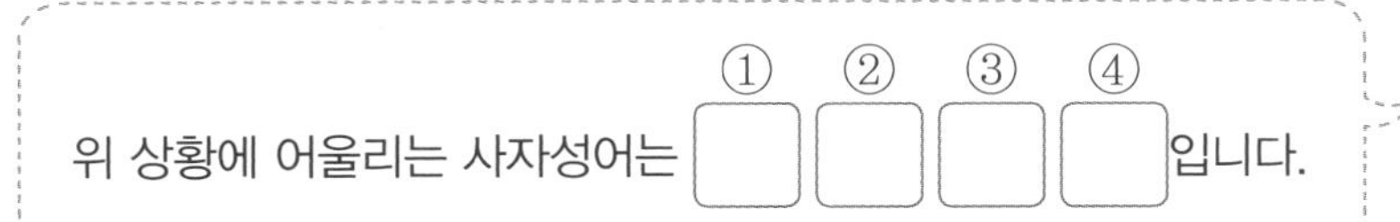

위 상황에 어울리는 사자성어는 ① ② ③ ④ 입니다.

융합 3 연료 3 L로 $22\frac{4}{5}$ km의 거리를 갈 수 있는 자동차가 있습니다. 이 자동차가 연료 1 L로 갈 수 있는 거리는 몇 km인지 구하세요.

답 ______________ km

창의 4 보기 의 조건을 이용하여 문제를 완성하고, 식을 세워 답을 구하세요.

보기

우유 2 L	주스 5 L	여학생 6명	남학생 8명

문제 [   ]를 [   ]이 남김없이 똑같이 나누어 마셨습니다. 한 명이 마신 음료는 몇 L인지 분수로 나타내어 보세요.

식 ______________________ 답 ______________ L

▶ 정답 및 풀이 6쪽

다음은 참치주먹밥 4인분을 만드는 데 필요한 재료의 종류와 양입니다. 물음에 답하세요.

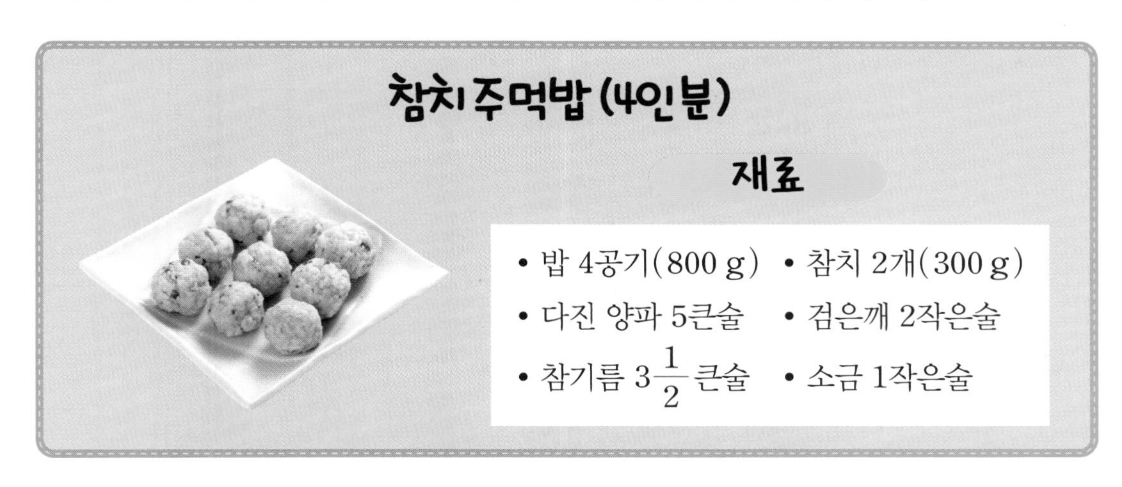

참치주먹밥 (4인분)

재료

- 밥 4공기(800 g)
- 참치 2개(300 g)
- 다진 양파 5큰술
- 검은깨 2작은술
- 참기름 $3\frac{1}{2}$큰술
- 소금 1작은술

(1) 태연이가 참치주먹밥 1인분을 만들려고 합니다. □ 안에 알맞은 수를 써넣으세요.

1인분을 만드는 데 필요한 재료의 양을 구하려면
제시된 재료의 양을 □(으)로 나눠요.

태연

(2) 참치주먹밥 1인분을 만드는 데 필요한 재료의 양을 구하세요.

밥	$800 \div 4 = 200$ (g)	참치	$300 \div 4 =$ □ (g)
다진 양파	$5 \div 4 =$ □ (큰술)	검은깨	$2 \div 4 = \frac{1}{□}$ (작은술)
참기름	$3\frac{1}{2} \div$ □ $=$ □ (큰술)	소금	□ $\div$ □ $=$ □ (작은술)

특강 창의·융합·코딩

정우네 가족이 가꾸는 직사각형 모양의 텃밭입니다. 텃밭의 넓이가 $\frac{147}{4}$ m^2 일 때 물음에 답하세요.

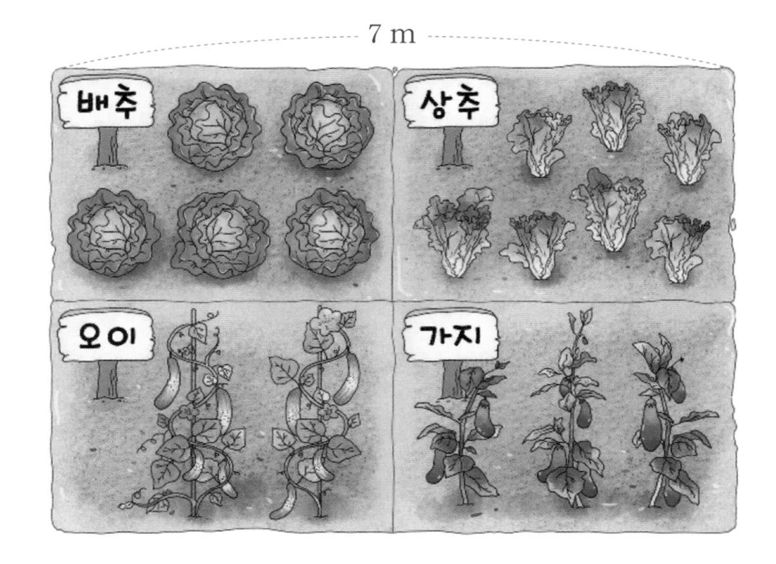

창의 6 텃밭의 세로는 몇 m인가요?

답 ______________ m

창의 7 오이를 심은 부분의 넓이는 몇 m^2인가요?

우리 텃밭에는 배추, 상추, 오이, 가지를 똑같은 넓이로 심었어요.
정우

답 ______________ m^2

▶정답 및 풀이 6쪽

창의 8 사다리 타기는 줄을 따라 내려가다가 가로로 놓인 선을 만나면 가로선을 따라 맨 아래까지 내려가는 놀이입니다. 선을 따라 가면서 만나는 계산 방법에 따라 도착한 곳에 계산 결과를 써넣으세요.

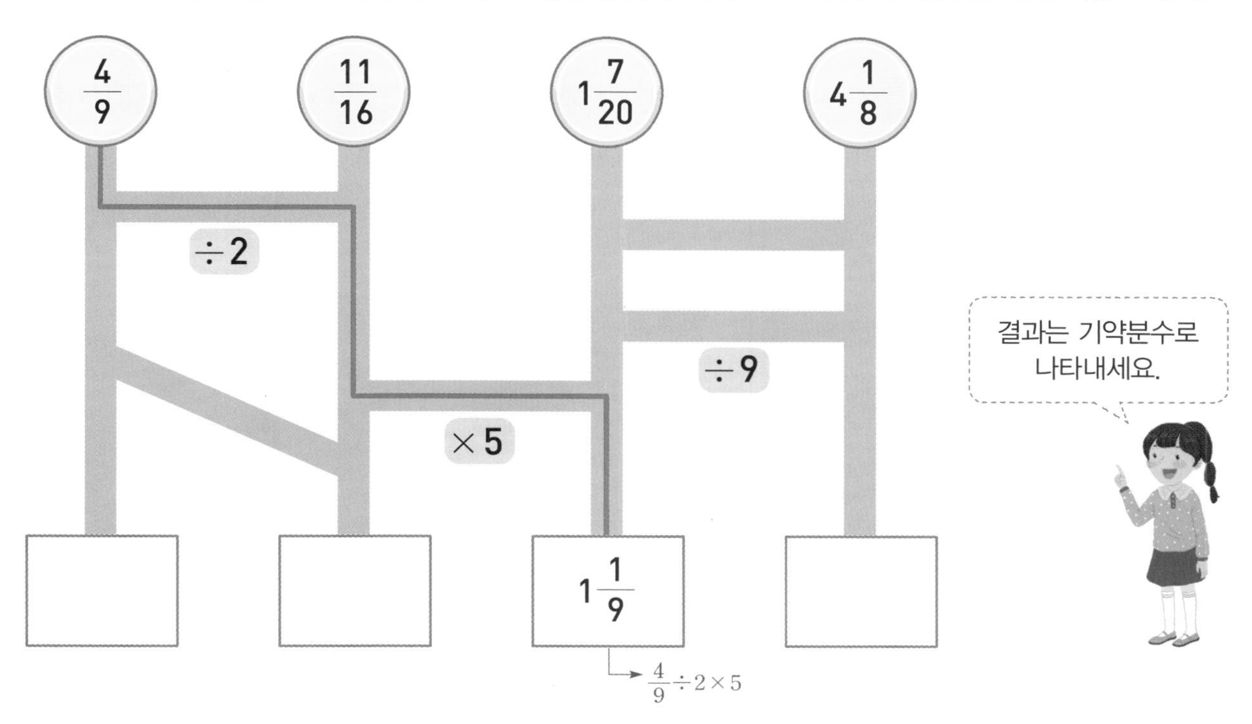

융합 9 각 면에 1부터 12까지의 수가 쓰인 십이면체 모양의 주사위가 있습니다. 이 주사위를 던져 나온 세 수를 모두 사용하여 계산 결과가 가장 작은 나눗셈식을 만들고 계산해 보세요.

(십이면체 → 면이 12개인 입체도형)

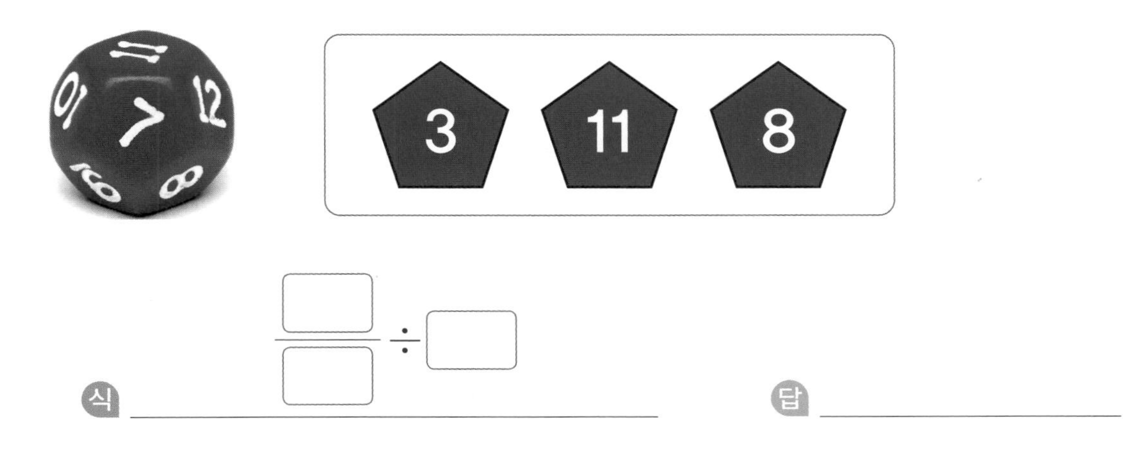

$\frac{\square}{\square} \div \square$

식 ________________ 답 ________________

2
주

소수의 나눗셈 (1)

응?
저건 뭐지?

우하하~.
이런 산길에 선물
상자가 있다니!
윽! 냄새~.

위험해!

꿈틀

으악!! 몬스터다!!
꾸에에에에

이번에는
반드시 잡을테다!
쿠쿠쿠쿠

우리도 지지 않아!!
척
척

지금 뭐하시는
거죠?
슥 슥

이번에 배울 내용을 알아볼까요? 

1일 몫이 소수 한 자리 수인 (소수)÷(자연수)
2일 몫이 소수 두 자리 수인 (소수)÷(자연수)
3일 몫이 1보다 작은 소수인 (소수)÷(자연수) (1)
4일 몫이 1보다 작은 소수인 (소수)÷(자연수) (2)
5일 나누는 수가 두 자리 수인 (소수)÷(자연수)

너희를 평가하는 중이란다.

몬스터를 물리치고 리본 3.66 m를 셋이 똑같이 나누어 가져야 통과한다.
꾸에에에에

3.66 m를 3으로 나누라고요?
??
허둥

정신 차려!! 그렇게 어려운 문제는 아니야!!

1 m=100 cm이고 3.66 m=366 cm이니까 366÷3=122야.

366÷3=122
➡ 3.66÷3=1.22

그럼 3등분하면 1.22 m네.
다다다다다다

이제 모든 힘을 합쳐 몬스터를 물리치자.
이얍
꽈엑
핫
타앗

이번에 배울 내용을 알아볼까요? 

6-1 (자연수)÷(자연수)의 몫을 분수로 나타내기

(자연수)÷(자연수)의 몫을 분수로 어떻게 나타낼까?

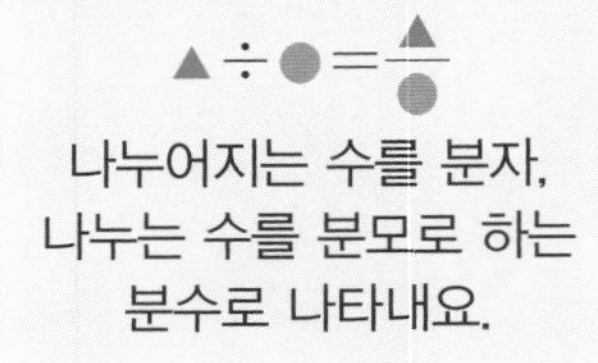

▲÷●=▲/●

나누어지는 수를 분자, 나누는 수를 분모로 하는 분수로 나타내요.

나눗셈의 몫을 분수로 나타내어 보세요.

1-1 $3 \div 5$

1-2 $7 \div 10$

1-3 $6 \div 13$

1-4 $8 \div 11$

1-5 $5 \div 14$

1-6 $9 \div 16$

재미있게 똑똑해지네!

6-1 **(분수)÷(자연수)**

$\frac{6}{7}$ m를 3등분한 것 중 하나를 사용했지.
그럼 $\frac{2}{7}$ m를 사용한 거네.

분자가 자연수의 배수이니까 $\frac{6}{7}\div3=\frac{6\div3}{7}=\frac{2}{7}$로 계산한단다.

분수의 곱셈으로 바꾸어 $\frac{6}{7}\div3=\frac{\overset{2}{\cancel{6}}}{7}\times\frac{1}{\underset{1}{\cancel{3}}}=\frac{2}{7}$로 계산할 수도 있어요.

2주 1일

계산하여 기약분수로 나타내어 보세요.

2-1 $\frac{8}{9}\div4$

2-2 $\frac{6}{7}\div2$

2-3 $\frac{3}{7}\div6$

2-4 $\frac{10}{13}\div15$

2-5 $1\frac{5}{9}\div7$

2-6 $4\frac{2}{5}\div11$

몫이 소수 한 자리 수인 (소수)÷(자연수) ①

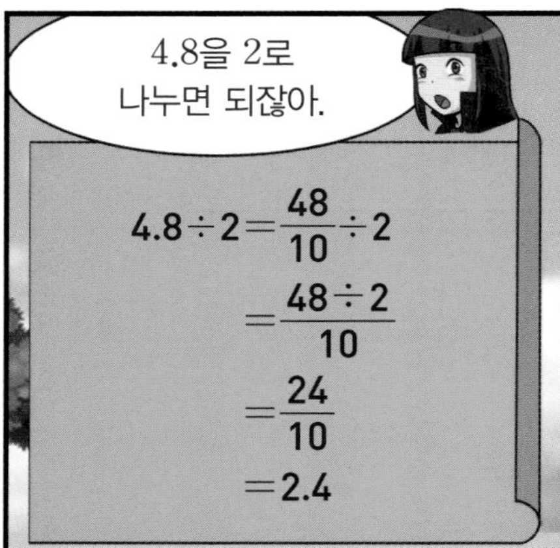

똑똑한 하루 계산법

• 4.8÷2의 계산 방법

방법 1 분수의 나눗셈으로 바꾸어 계산하기

$$4.8 \div 2 = \frac{48}{10} \div 2 = \frac{48 \div 2}{10} = \frac{24}{10} = 2.4$$

분모가 10인 분수로 바꾸기

방법 2 자연수의 나눗셈을 이용하여 계산하기

$\frac{1}{10}$배

$$48 \div 2 = 24 \Rightarrow 4.8 \div 2 = 2.4$$

$\frac{1}{10}$배

OX 퀴즈

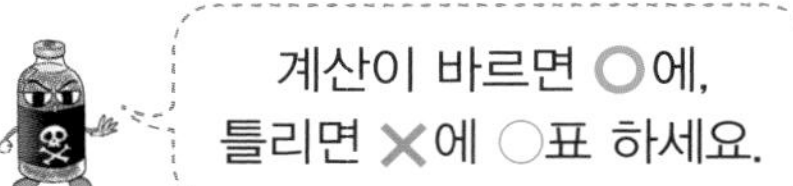

계산이 바르면 ○에, 틀리면 ✕에 ○표 하세요.

66÷3=22
⇨ 6.6÷3=2.2

정답 ○에 ○표

똑똑한 계산 연습

▶ 정답 및 풀이 7쪽

제한 시간 5분

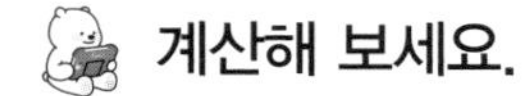
계산해 보세요.

❶ $6.3 \div 3 = \dfrac{\square}{10} \div 3 = \dfrac{\square \div 3}{10} = \dfrac{\square}{10} = \square$

❷ $14.6 \div 2 = \dfrac{\square}{10} \div 2 = \dfrac{\square \div 2}{10} = \dfrac{\square}{10} = \square$

❸ $20.4 \div 4 = \dfrac{\square}{10} \div 4 = \dfrac{\square \div 4}{10} = \dfrac{\square}{\square} = \square$

❹ $4.4 \div 4$

❺ $6.4 \div 2$

❻ $8.2 \div 2$

❼ $9.3 \div 3$

❽ $16.4 \div 4$

❾ $15.6 \div 3$

몫이 소수 한 자리 수인 (소수)÷(자연수) ②

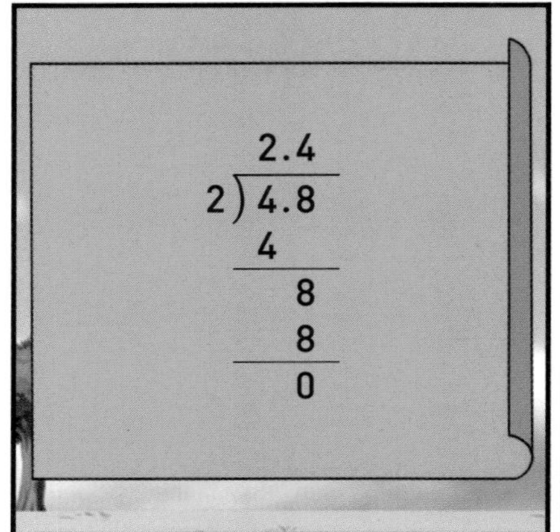

똑똑한 하루 계산법

• 4.8÷2를 **세로로 계산하기**

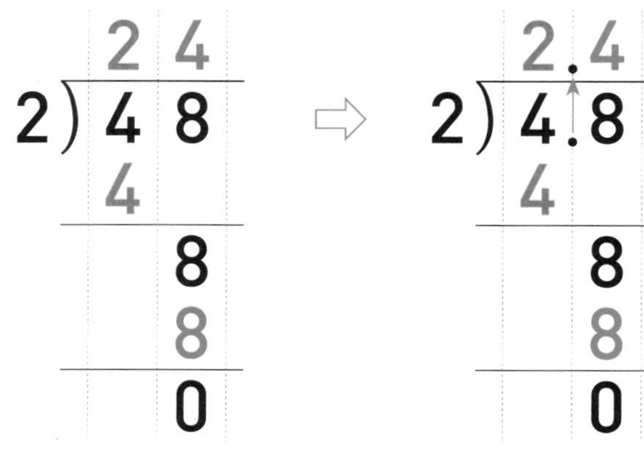

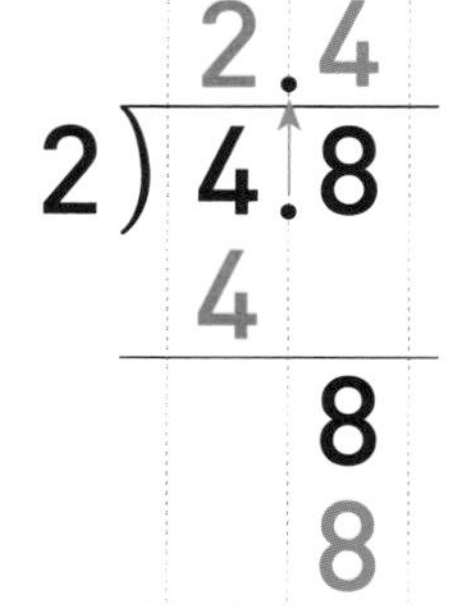

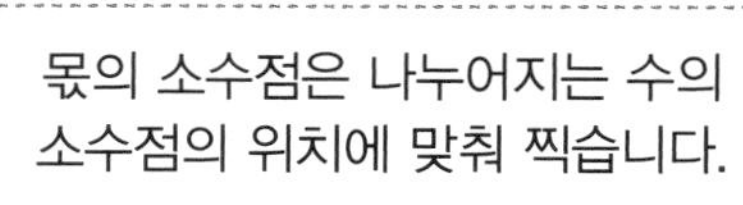

몫의 소수점은 나누어지는 수의
소수점의 위치에 맞춰 찍습니다.

계산이 바르면 ○에,
틀리면 ×에 ○표 하세요.

$$\begin{array}{r} 4\ 3 \\ 2\,\overline{)\,8.6} \\ 8 \\ \hline 6 \\ 6 \\ \hline 0 \end{array}$$

정답 ×에 ○표

똑똑한 계산 연습

▶정답 및 풀이 7~8쪽

제한 시간 5분

계산해 보세요.

❶ $2\overline{)2.4}$

❷ $3\overline{)6.9}$

❸ $6\overline{)7.2}$

❹ $2\overline{)12.6}$

❺ $9\overline{)19.8}$

❻ $5\overline{)10.5}$

❼ $7\overline{)42.7}$

❽ $3\overline{)24.6}$

❾ $4\overline{)20.8}$

1일 기초 집중 연습

 자연수의 나눗셈을 이용하여 소수의 나눗셈을 계산해 보세요.

1-1 $39 \div 3 = \square$

⇨ $3.9 \div 3 = \square$

1-2 $84 \div 2 = \square$

⇨ $8.4 \div 2 = \square$

1-3 $512 \div 4 = \square$

⇨ $51.2 \div 4 = \square$

1-4 $405 \div 5 = \square$

⇨ $40.5 \div 5 = \square$

1-5 $426 \div 6 = \square$

⇨ $42.6 \div 6 = \square$

1-6 $248 \div 8 = \square$

⇨ $24.8 \div 8 = \square$

 빈칸에 알맞은 수를 써넣으세요.

2-1

9.6	÷3	

2-2

6.6	÷2	

2-3

30.6	÷6	

2-4

45.9	÷9	

제한 시간 8분

생활 속 계산

 일정한 빠르기로 가는 자동차가 연료 1 L로 달린 거리를 구하세요.

3-1 

사용한 연료: 5 L
달린 거리: 45.5 km

$45.5 \div 5 = \square$ (km)

3-2 

사용한 연료: 2 L
달린 거리: 24.8 km

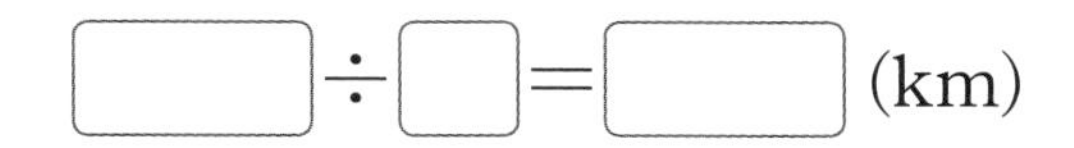

$\square \div \square = \square$ (km)

3-3 

사용한 연료: 4 L
달린 거리: 48.4 km

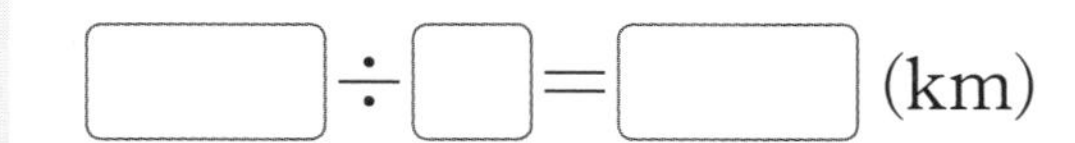

$\square \div \square = \square$ (km)

문장 읽고 계산식 세우기

4-1 설탕 16.8 kg을 4명이 똑같이 나누어 가지면 한 명이 가지는 설탕은 몇 kg?

식 $16.8 \div 4 = \square$ (kg)

4-2 쌀가루 8.8 kg을 2명이 똑같이 나누어 가지면 한 명이 가지는 쌀가루는 몇 kg?

식 $8.8 \div 2 = \square$ (kg)

4-3 밀가루 9.9 kg을 3명이 똑같이 나누어 가지면 한 명이 가지는 밀가루는 몇 kg?

식 $\square \div \square = \square$ (kg)

4-4 콩가루 12.6 kg을 6명이 똑같이 나누어 가지면 한 명이 가지는 콩가루는 몇 kg?

식 $\square \div \square = \square$ (kg)

몫이 소수 두 자리 수인 (소수)÷(자연수) ①

똑똑한 하루 계산법

• 20.65÷5의 계산 방법

방법 1 분수의 나눗셈으로 바꾸어 계산하기

$$20.65 \div 5 = \frac{2065}{100} \div 5 = \frac{2065 \div 5}{100} = \frac{413}{100} = 4.13$$

분모가 100인 분수로 바꾸기

방법 2 자연수의 나눗셈을 이용하여 계산하기

$\frac{1}{100}$배

$$2065 \div 5 = 413 \Rightarrow 20.65 \div 5 = 4.13$$

$\frac{1}{100}$배

나누어지는 수가 $\frac{1}{100}$배가 되면 몫도 $\frac{1}{100}$배가 됩니다.

똑똑한 계산 연습

▶정답 및 풀이 8쪽

제한 시간 5분

 계산해 보세요.

❶ $9.78 \div 6 = \dfrac{\square}{100} \div 6 = \dfrac{\square \div 6}{100} = \dfrac{\square}{100} = \square$

❷ $4.52 \div 4 = \dfrac{\square}{100} \div 4 = \dfrac{\square \div 4}{100} = \dfrac{\square}{100} = \square$

❸ $37.94 \div 7 = \dfrac{3794}{\square} \div 7 = \dfrac{\square \div 7}{\square} = \dfrac{\square}{\square} = \square$

❹ $9.75 \div 5$

❺ $7.44 \div 3$

❻ $62.72 \div 8$

❼ $24.56 \div 4$

❽ $36.55 \div 5$

❾ $67.27 \div 7$

몫이 소수 두 자리 수인 (소수)÷(자연수) ②

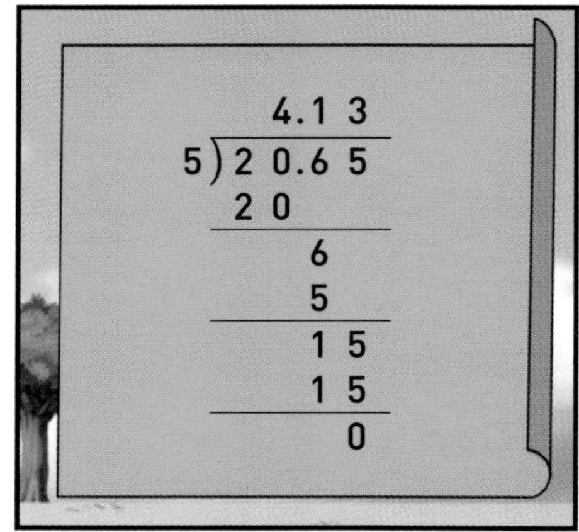

똑똑한 하루 계산법

• 20.65÷5를 **세로로 계산하기**

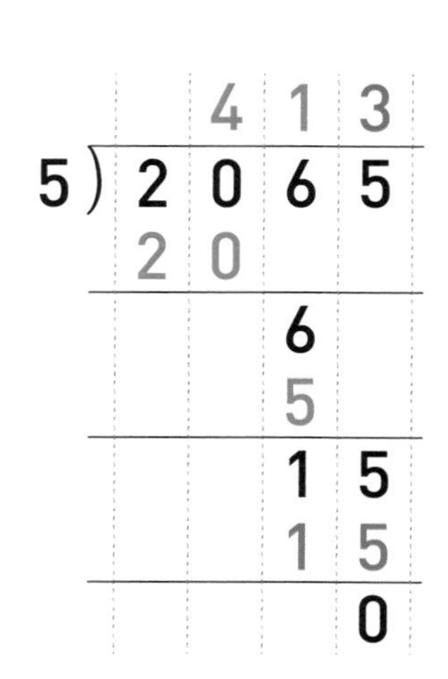

몫의 소수점은 나누어지는 수의 소수점의 위치에 맞춰 찍습니다.

```
      4.1 3
 5 ) 2 0.6 5
     2 0
       6
       5
       1 5
       1 5
         0
```

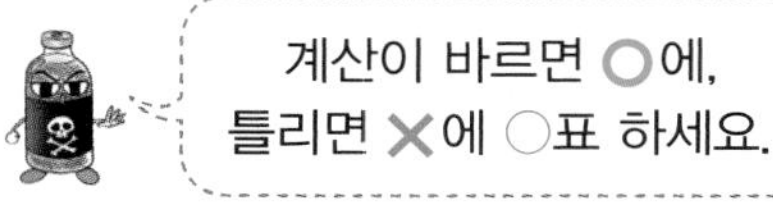


```
      1.4 8
 8 ) 1 1.8 4
     8
     3 8
     3 2
       6 4
       6 4
         0
```

정답 ○에 ○표

▶정답 및 풀이 9쪽

똑똑한 계산 연습

제한 시간 5분

계산해 보세요.

❶ 3)7.41

❷ 2)5.26

❸ 3)12.75

❹ 4)35.44

❺ 

❻ 7)43.61

❼ 6)55.38

❽ 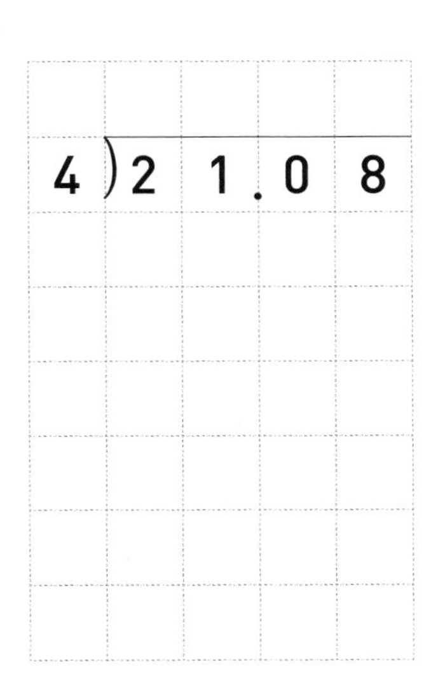

❾ 6)21.36

2일 기초 집중 연습

 자연수의 나눗셈을 이용하여 소수의 나눗셈을 계산해 보세요.

1-1 $2619 \div 9 =$ ☐

⇨ $26.19 \div 9 =$ ☐

1-2 $4459 \div 7 =$ ☐

⇨ $44.59 \div 7 =$ ☐

1-3 $3772 \div 4 =$ ☐

⇨ $37.72 \div 4 =$ ☐

1-4 $5154 \div 6 =$ ☐

⇨ $51.54 \div 6 =$ ☐

1-5 $1284 \div 6 =$ ☐

⇨ $12.84 \div 6 =$ ☐

1-6 $1107 \div 9 =$ ☐

⇨ $11.07 \div 9 =$ ☐

 빈칸에 알맞은 수를 써넣으세요.

2-1

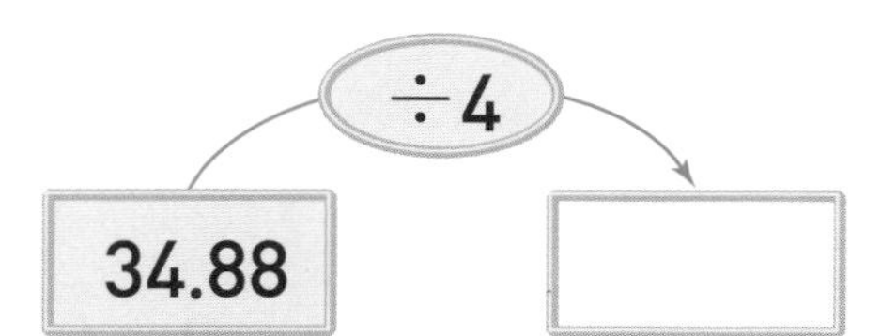

2-2

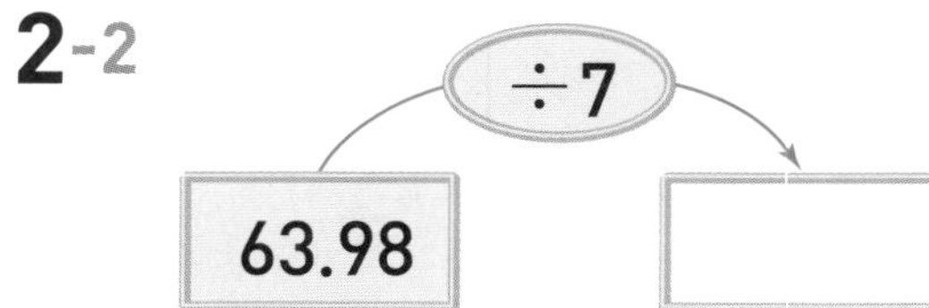

2-3

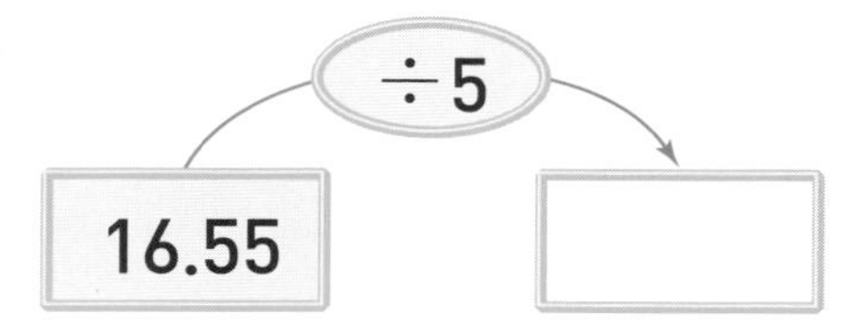

2-4

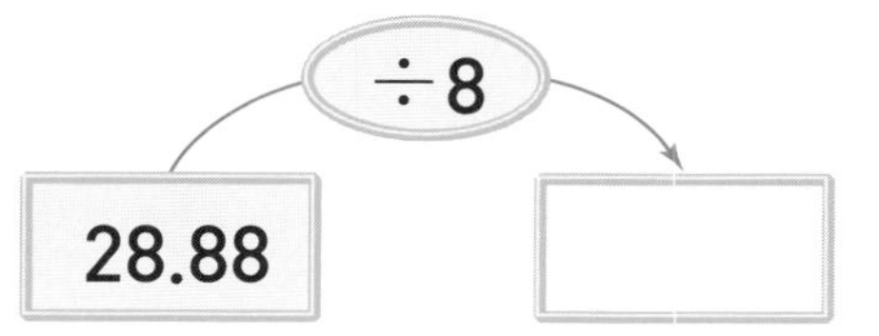

▶정답 및 풀이 9쪽

제한 시간 8분

생활 속 계산

동물들에게 먹이를 똑같이 나누어 주려고 합니다. 한 마리당 몇 kg씩 나누어 주어야 하는지 구하세요.

3-1

17.84÷4=☐(kg)

3-2

22.35÷5=☐(kg)

3-3

☐÷☐=☐(kg)

3-4

☐÷☐=☐(kg)

문장 읽고 계산식 세우기

4-1

호두 27.92 kg을 8봉지에 똑같이 나누어 담으면 한 봉지에 담을 호두는 몇 kg?

식 27.92÷8=☐(kg)

4-2

땅콩 30.12 kg을 4봉지에 똑같이 나누어 담으면 한 봉지에 담을 땅콩은 몇 kg?

식 ☐÷☐=☐(kg)

몫이 1보다 작은 소수인 (소수)÷(자연수) ①

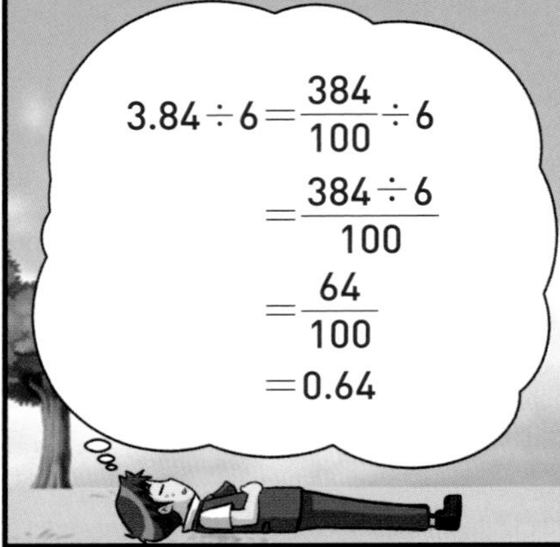

똑똑한 하루 계산법

• 3.84÷6의 **계산 방법** — 나누어지는 수가 1보다 큰 (소수)÷(자연수)

방법 1 분수의 나눗셈으로 바꾸어 계산하기

$$3.84 \div 6 = \frac{384}{100} \div 6 = \frac{384 \div 6}{100} = \frac{64}{100} = \mathbf{0.64}$$

방법 2 자연수의 나눗셈을 이용하여 계산하기

$$384 \div 6 = 64 \Rightarrow 3.84 \div 6 = 0.64$$

(384 → 3.84: $\frac{1}{100}$배, 64 → 0.64: $\frac{1}{100}$배)

○× 퀴즈

계산이 바르면 ○에, 틀리면 ×에 ○표 하세요.

18÷3=6
⇨ 1.8÷3=0.6

정답 ○에 ○표

똑똑한 계산 연습

제한 시간 5분

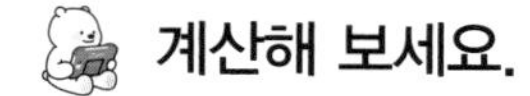

계산해 보세요.

❶ $3.6 \div 4 = \dfrac{\square}{10} \div 4 = \dfrac{\square \div 4}{\square} = \dfrac{\square}{\square} = \square$

❷ $1.08 \div 6 = \dfrac{\square}{100} \div 6 = \dfrac{\square \div 6}{100} = \dfrac{\square}{100} = \square$

❸ $3.15 \div 9 = \dfrac{315}{\square} \div 9 = \dfrac{\square \div 9}{\square} = \dfrac{\square}{\square} = \square$

❹ $5.6 \div 8$

❺ $4.2 \div 7$

❻ $1.16 \div 4$

❼ $2.56 \div 8$

❽ $2.52 \div 3$

❾ $6.48 \div 9$

3일

몫이 1보다 작은 소수인 (소수)÷(자연수) ②

이번에 새로운 마법약을 가지고 왔단다.

앗! 근데 이 이상한 기운은 뭐지?

스톤 몬스터다!!
뿌적
뿌적

서둘러!
3.84 L
척
어서 이 마법약을 6곳에 나누어 뿌리렴! 곧 방어막이 생길 거야.

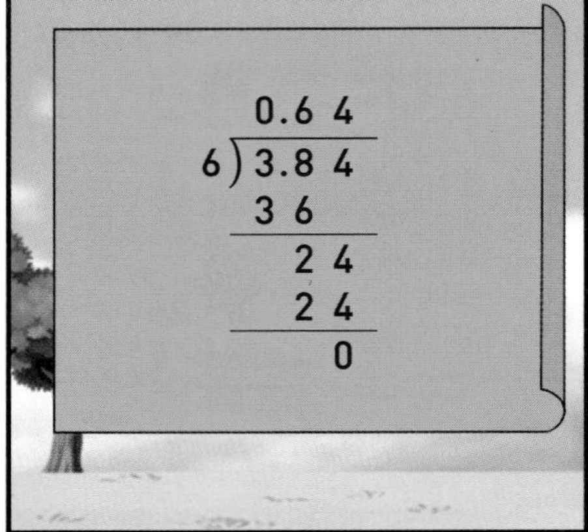
0.6 4
6) 3.8 4
3 6
2 4
2 4
0

한 곳에 0.64 L씩 뿌리니 방어막이 생겼어.
와글
와글

똑똑한 하루 계산법

• $3.84 \div 6$을 세로로 계산하기

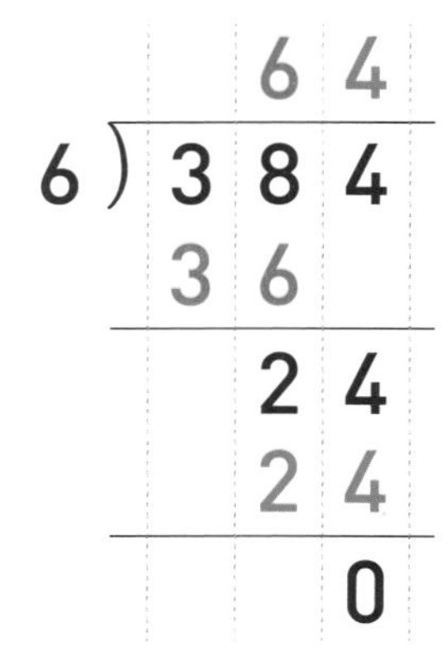
6 4
6) 3 8 4
3 6
2 4
2 4
0

⇨

3을 6으로 나눌 수 없으므로 몫의 일의 자리에 0을 씁니다.

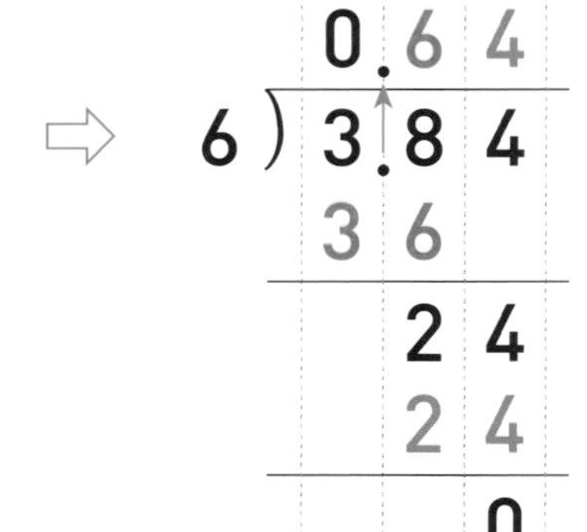
0.6 4
6) 3.8 4
3 6
2 4
2 4
0

몫이 1보다 작으므로 몫의 자연수 부분에 0을 쓰고 소수점을 올려 찍어야 합니다.

OX 퀴즈

계산이 바르면 ○에, 틀리면 ×에 ○표 하세요.

```
     2 3
7 ) 1.6 1
    1 4
      2 1
      2 1
        0
```

정답 ×에 ○표

똑똑한 계산 연습

▶ 정답 및 풀이 10쪽

제한 시간 5분

계산해 보세요.

❶ $3\overline{)2.7}$

❷ $4\overline{)3.2}$

❸ $5\overline{)3.5}$

❹ $6\overline{)3.6}$

❺ $8\overline{)4.8}$

❻ $9\overline{)7.2}$

❼ $7\overline{)4.41}$

❽ $2\overline{)1.12}$

❾ $7\overline{)1.68}$

❿ $6\overline{)2.76}$

⓫ $8\overline{)2.08}$

⓬ $9\overline{)5.58}$

3일 기초 집중 연습

 자연수의 나눗셈을 이용하여 소수의 나눗셈을 계산해 보세요.

1-1 216÷6=☐
⇨ 2.16÷6=☐

1-2 224÷7=☐
⇨ 2.24÷7=☐

1-3 465÷5=☐
⇨ 4.65÷5=☐

1-4 153÷9=☐
⇨ 1.53÷9=☐

1-5 296÷8=☐
⇨ 2.96÷8=☐

1-6 434÷7=☐
⇨ 4.34÷7=☐

 빈칸에 알맞은 수를 써넣으세요.

2-1 ÷

1.75	7	

2-2 ÷

1.71	3	

2-3

2-4

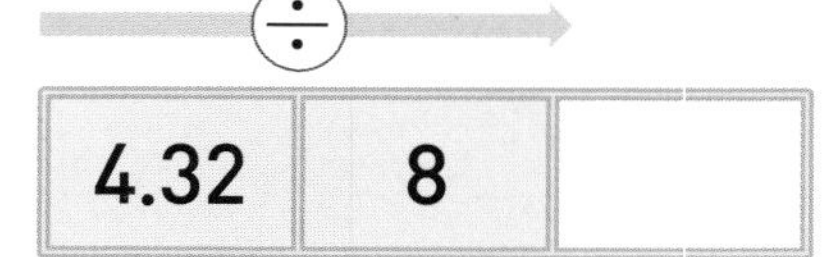

제한 시간 8분

생활 속 계산

무게가 똑같은 통조림을 전자저울로 무게를 재었습니다. 통조림 한 개의 무게를 구하세요.

3-1

$5.4 \div 6 =$ ☐ (kg)

3-2

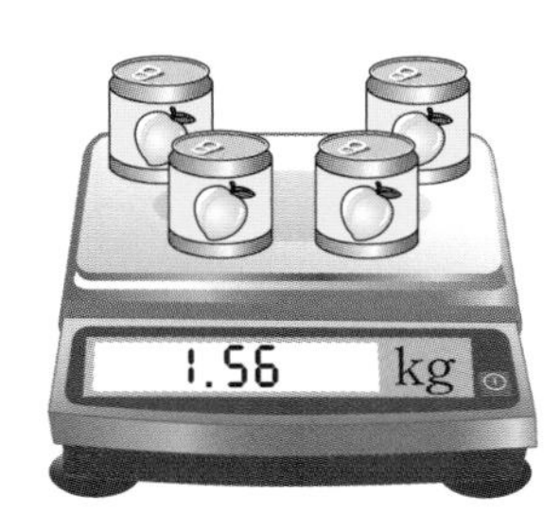

$1.56 \div 4 =$ ☐ (kg)

3-3

☐ $\div$ ☐ $=$ ☐ (kg)

3-4

☐ $\div$ ☐ $=$ ☐ (kg)

문장 읽고 계산식 세우기

4-1

옥수수 6.08 kg을 8자루에 똑같이 나누어 담을 때 한 자루에 담아야 하는 옥수수는 몇 kg?

식 $6.08 \div 8 =$ ☐ (kg)

4-2

감자 5.88 kg을 7자루에 똑같이 나누어 담을 때 한 자루에 담아야 하는 감자는 몇 kg?

식 ☐ $\div$ ☐ $=$ ☐ (kg)

몫이 1보다 작은 소수인 (소수)÷(자연수) ③

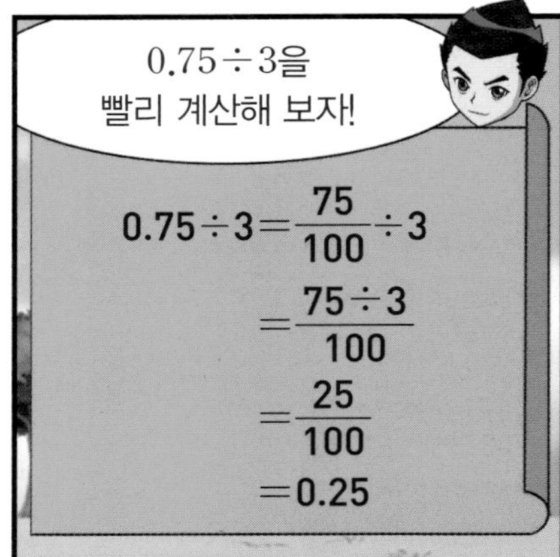

똑똑한 하루 계산법

• $0.75 \div 3$의 계산 방법 — 나누어지는 수가 1보다 작은 (소수)÷(자연수)

방법 1 분수의 나눗셈으로 바꾸어 계산하기

$$0.75 \div 3 = \frac{75}{100} \div 3 = \frac{75 \div 3}{100} = \frac{25}{100} = 0.25$$

방법 2 자연수의 나눗셈을 이용하여 계산하기

$\frac{1}{100}$배

$75 \div 3 = 25$ ⇨ $0.75 \div 3 = 0.25$

$\frac{1}{100}$배

○× 퀴즈

계산이 바르면 ○에, 틀리면 ×에 ○표 하세요.

$72 \div 6 = 12$
⇨ $0.72 \div 6 = 1.2$

정답 ×에 ○표

똑똑한 계산 연습

▶정답 및 풀이 11쪽

제한 시간 5분

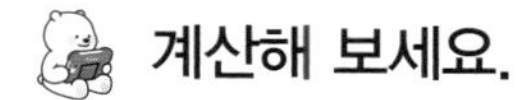

계산해 보세요.

❶ $0.69 \div 3 = \dfrac{69}{\square} \div 3 = \dfrac{69 \div 3}{\square} = \dfrac{\square}{\square} = \square$

❷ $0.95 \div 5 = \dfrac{95}{\square} \div 5 = \dfrac{95 \div 5}{\square} = \dfrac{\square}{\square} = \square$

❸ $0.34 \div 2 = \dfrac{34}{\square} \div 2 = \dfrac{\square \div 2}{\square} = \dfrac{\square}{\square} = \square$

❹ $0.81 \div 3$

❺ $0.52 \div 4$

❻ $0.96 \div 6$

❼ $0.65 \div 5$

❽ $0.87 \div 3$

❾ $0.92 \div 4$

몫이 1보다 작은 소수인 (소수)÷(자연수) ④

와아~ 이겼다~!

휴우~ 너무 지쳤어.
그러게.

걱정 마! 에너지 마법약을 마시면 금방 체력이 회복될 거야.

어디 보자! 이것도 셋이서 똑같이 나눠 마시려면…….

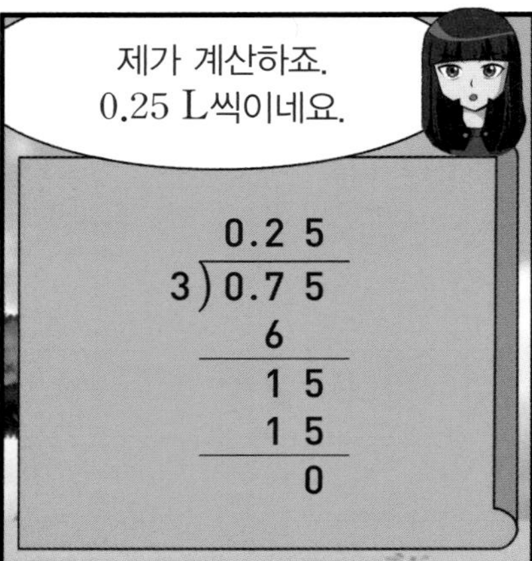

제가 계산하죠. 0.25 L씩이네요.
0.2 5
3) 0.7 5
6
1 5
1 5
0

너 갑자기 왜 그래?
마셨더니… 배가…….
다
다
다

똑똑한 하루 계산법

• $0.75 \div 3$을 세로로 계산하기

몫이 1보다 작으면 자연수 자리에 0을 씁니다.

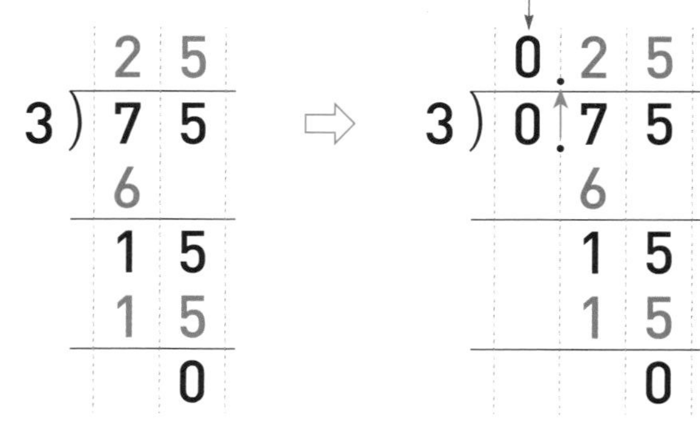

(나누어지는 수)<(나누는 수)이면 몫은 1보다 작습니다.

OX 퀴즈

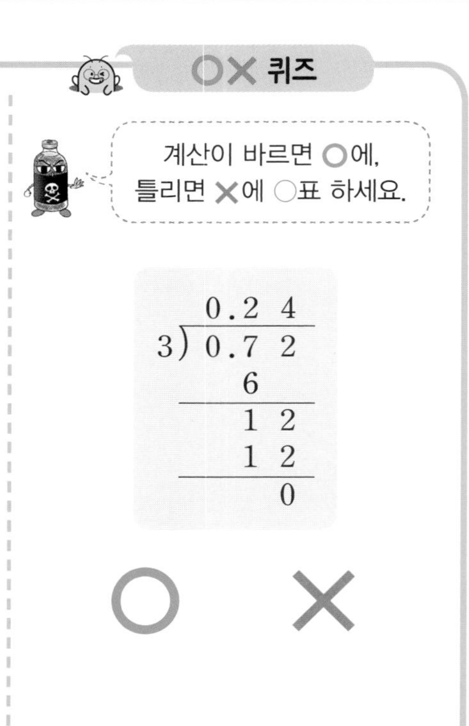

정답 ○에 ○표

똑똑한 계산 연습

▶정답 및 풀이 11쪽

제한 시간 5분

계산해 보세요.

1. $2\overline{)0.62}$

2. $3\overline{)0.96}$

3. $4\overline{)0.76}$

4. $8\overline{)0.96}$

5. $5\overline{)0.85}$

6. $2\overline{)0.74}$

7. $6\overline{)0.78}$

8. $7\overline{)0.91}$

9. $3\overline{)0.84}$

10. $4\overline{)0.96}$

11. $2\overline{)0.58}$

12. $6\overline{)0.72}$

4일 기초 집중 연습

 자연수의 나눗셈을 이용하여 소수의 나눗셈을 계산해 보세요.

1-1 $51 \div 3 =$ ☐

⇨ $0.51 \div 3 =$ ☐

1-2 $64 \div 4 =$ ☐

⇨ $0.64 \div 4 =$ ☐

1-3 $38 \div 2 =$ ☐

⇨ $0.38 \div 2 =$ ☐

1-4 $42 \div 3 =$ ☐

⇨ $0.42 \div 3 =$ ☐

 빈칸에 알맞은 수를 써넣으세요.

2-1 0.68 → $\div 4$ → ☐

2-2 0.57 → $\div 3$ → ☐

2-3 0.45 → $\div 3$ → ☐

2-4 0.72 → $\div 2$ → ☐

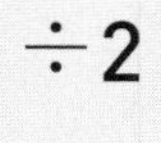

제한 시간 8분

생활 속 계산

친구들이 목장에서 주어진 시간 동안 일정한 빠르기로 짠 우유의 양을 보고 1분 동안 짠 우유는 몇 L인지 구하세요.

3-1

$0.98 \div 7 = \square$ (L)

3-2

$0.72 \div 4 = \square$ (L)

3-3

$\square \div \square = \square$ (L)

3-4

$\square \div \square = \square$ (L)

문장 읽고 계산식 세우기

4-1

0.56 L의 식용유를 4명이 똑같이 나누어 사용할 때 한 명이 사용할 수 있는 식용유는 몇 L?

식 $0.56 \div 4 = \square$ (L)

4-2

0.48 L의 주스를 3명이 똑같이 나누어 마실 때 한 명이 마실 수 있는 주스는 몇 L?

식 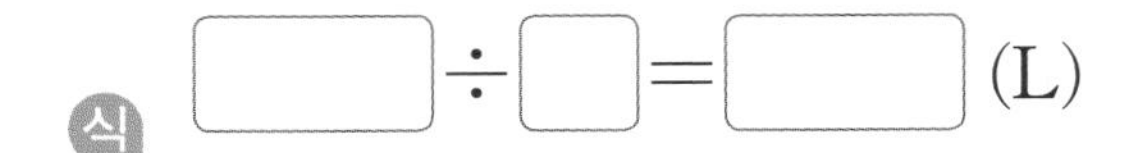

5일 나누는 수가 두 자리 수인 (소수)÷(자연수) ①

똑똑한 하루 계산법

• 19.5÷13의 **계산 방법** – (소수 한 자리 수)÷(자연수)

방법 1 분수의 나눗셈으로 바꾸어 계산하기

$$19.5 \div 13 = \frac{195}{10} \div 13 = \frac{195 \div 13}{10} = \frac{15}{10} = 1.5$$

방법 2 세로로 계산하기

```
      1 5              1.5
13 ) 1 9 5   ⇨   13 ) 1 9.5
     1 3              1 3
       6 5              6 5
       6 5              6 5
         0                0
```

OX 퀴즈

계산이 바르면 ○에, 틀리면 ✕에 ○표 하세요.

```
       1.9
15 ) 2 8.5
     1 5
     1 3 5
     1 3 5
         0
```

정답 ○에 ○표

똑똑한 계산 연습

▶정답 및 풀이 12쪽

제한 시간 5분

계산해 보세요.

❶ $60.9 \div 29 = \dfrac{\square}{10} \div 29 = \dfrac{\square \div 29}{\square} = \dfrac{\square}{\square} = \square$

❷ $20.4 \div 12 = \dfrac{204}{\square} \div 12 = \dfrac{\square \div 12}{\square} = \dfrac{\square}{\square} = \square$

❸ $39.1 \div 17 = \dfrac{\square}{\square} \div 17 = \dfrac{\square \div 17}{\square} = \dfrac{\square}{\square} = \square$

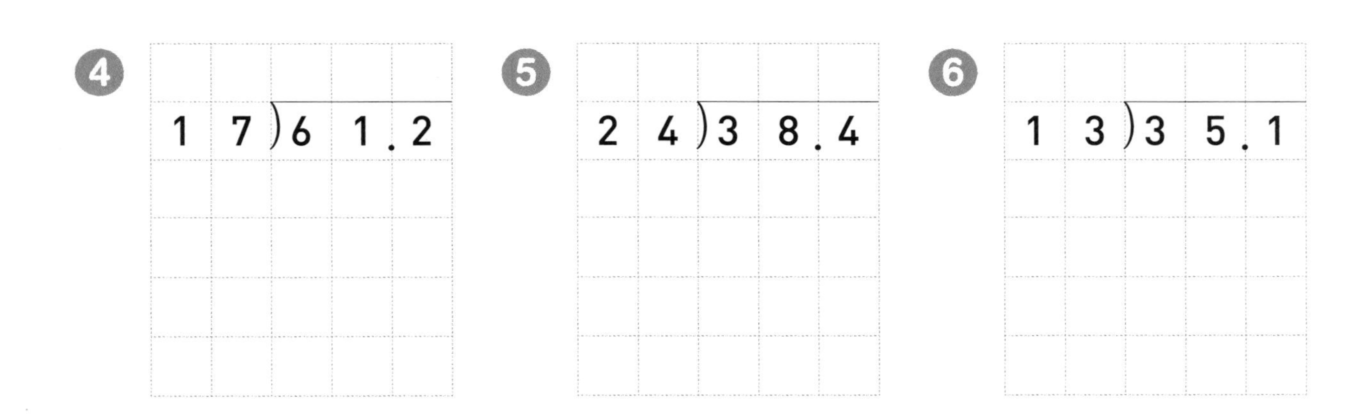

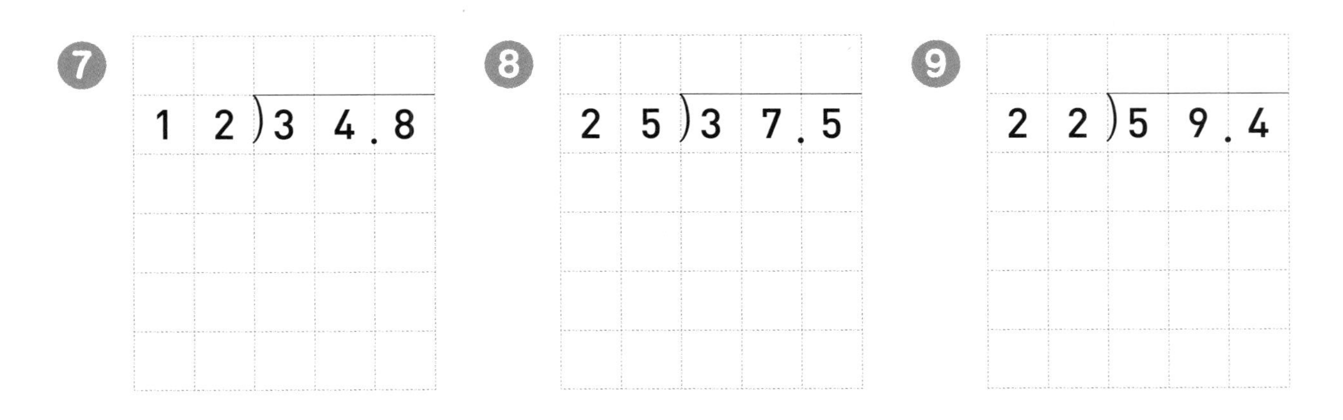

5일 나누는 수가 두 자리 수인 (소수)÷(자연수) ②

똑똑한 하루 계산법

• 4.16÷16의 계산 방법 – (소수 두 자리 수)÷(자연수)

방법 1 분수의 나눗셈으로 바꾸어 계산하기

$$4.16\div16=\frac{416}{100}\div16=\frac{416\div16}{100}=\frac{26}{100}=0.26$$

방법 2 세로로 계산하기

```
        2 6                  0.2 6
 16 ) 4 1 6     ⇨     16 ) 4.1 6
      3 2                    3 2
      -----                  -----
        9 6                    9 6
        9 6                    9 6
      -----                  -----
          0                      0
```

(나누어지는 수)<(나누는 수)이면 몫이 1보다 작습니다.

똑똑한 계산 연습

▶ 정답 및 풀이 12쪽

제한 시간 5분

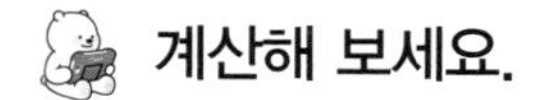

계산해 보세요.

❶ $7.28 \div 13 = \dfrac{\square}{100} \div 13 = \dfrac{\square \div 13}{\square} = \dfrac{\square}{\square} = \square$

❷ $6.12 \div 17 = \dfrac{612}{\square} \div 17 = \dfrac{\square \div 17}{\square} = \dfrac{\square}{\square} = \square$

❸ $2.76 \div 23 = \dfrac{\square}{\square} \div 23 = \dfrac{\square \div 23}{\square} = \dfrac{\square}{\square} = \square$

❹
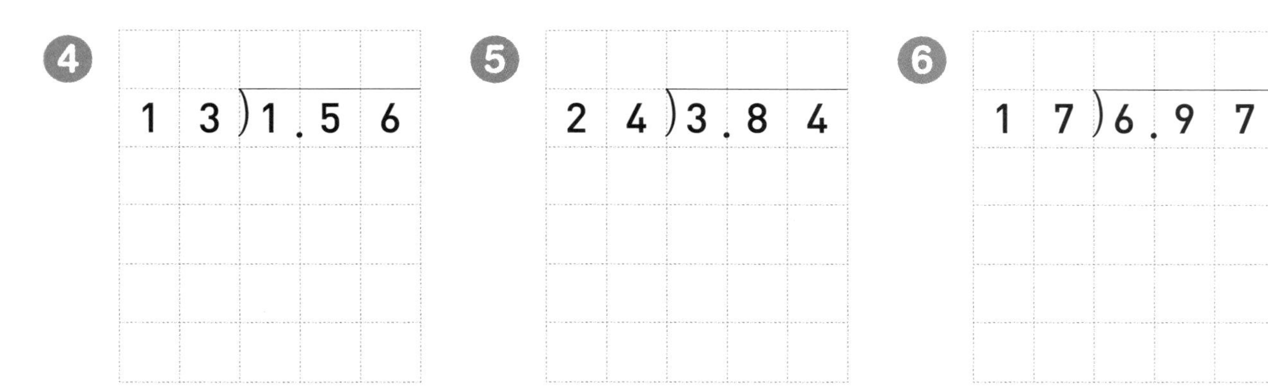

❺
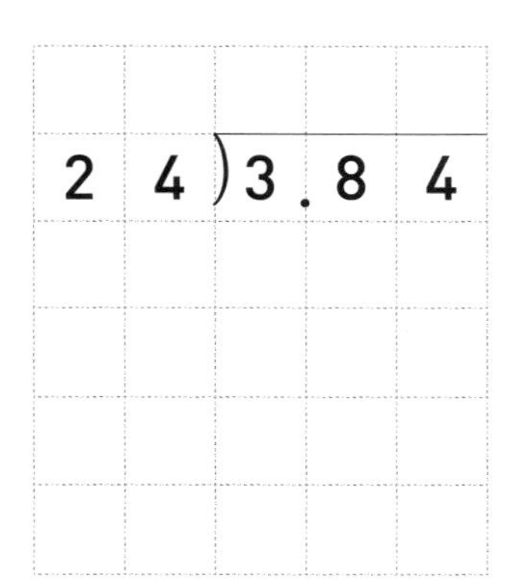

❻
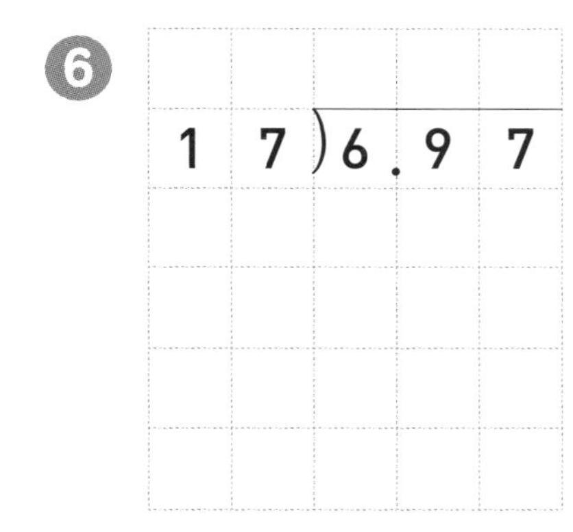

❼
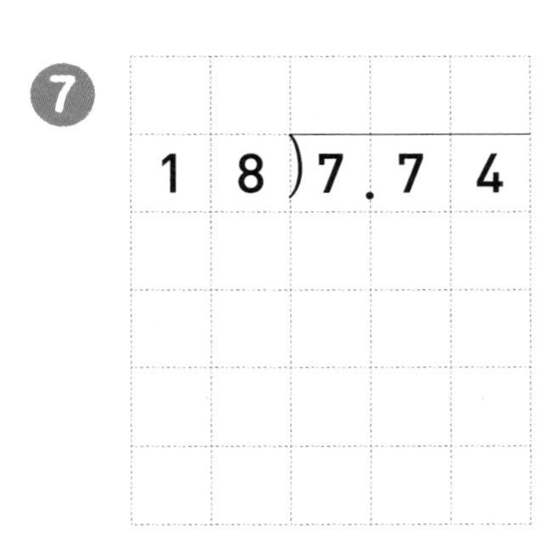

❽
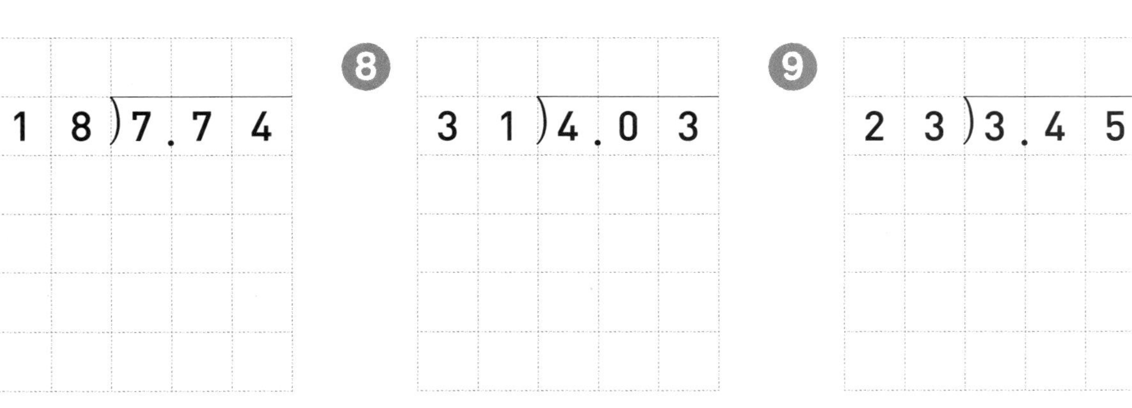

❾
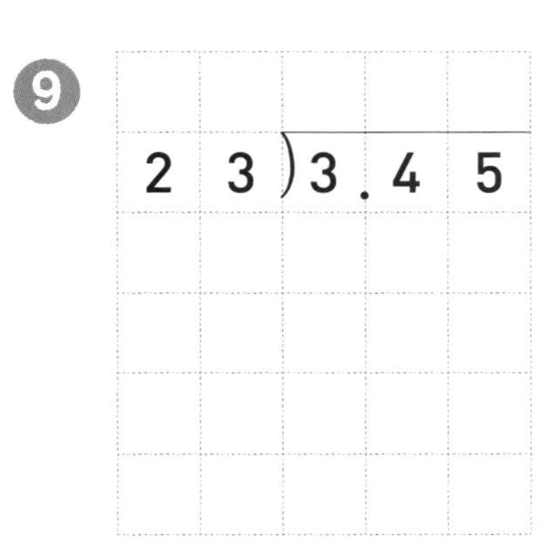

2주 5일

5일 기초 집중 연습

 자연수의 나눗셈을 이용하여 소수의 나눗셈을 계산해 보세요.

1-1 $864 \div 36 = \square$

⇨ $86.4 \div 36 = \square$

1-2 $611 \div 13 = \square$

⇨ $61.1 \div 13 = \square$

1-3 $168 \div 14 = \square$

⇨ $16.8 \div 14 = \square$

1-4 $289 \div 17 = \square$

⇨ $2.89 \div 17 = \square$

1-5 $384 \div 16 = \square$

⇨ $3.84 \div 16 = \square$

1-6 $779 \div 19 = \square$

⇨ $7.79 \div 19 = \square$

 빈칸에 알맞은 수를 써넣으세요.

2-1

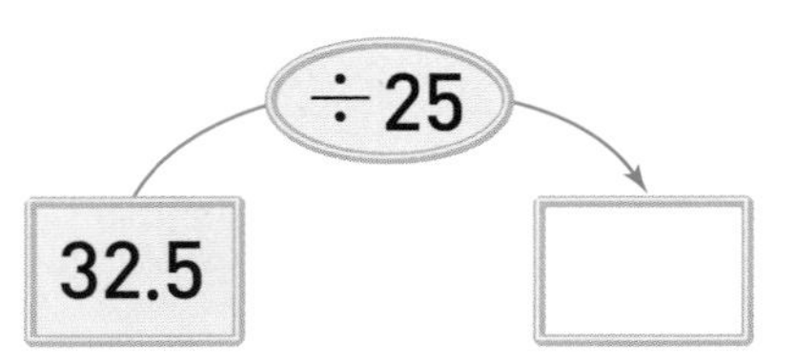

2-2

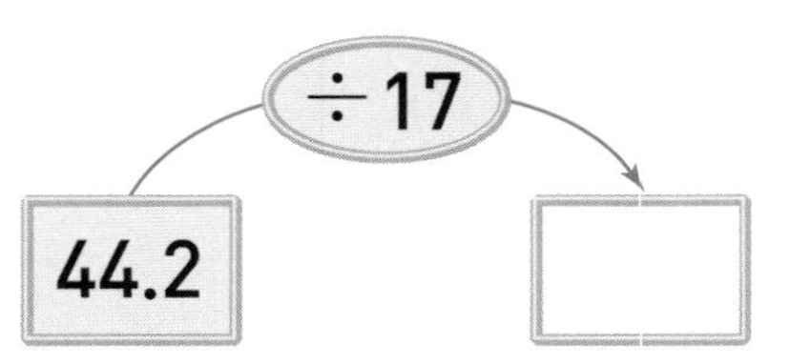

2-3

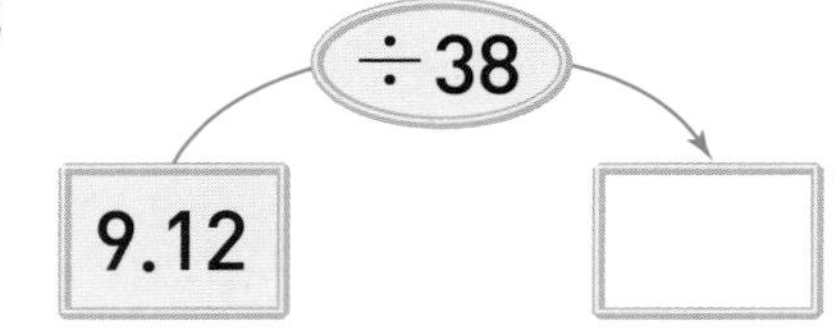

2-4

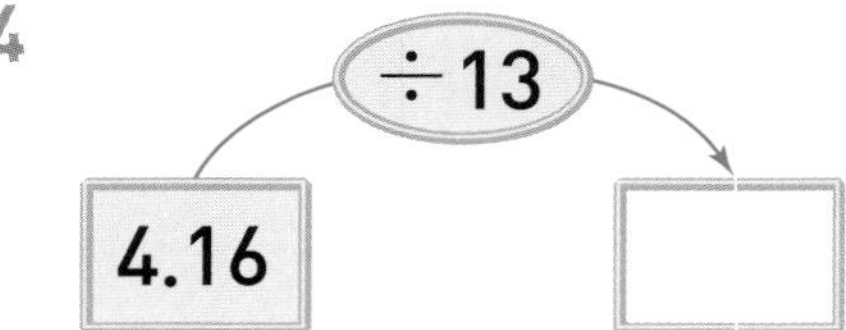

제한 시간 8분

생활 속 계산

똑같이 나누었을 때 한 통에 몇 L씩 담을 수 있는지 구하세요.

3-1

18.7 L

18.7÷11=☐ (L)

3-2

16.8 L

16.8÷12=☐ (L)

3-3

1.82 L

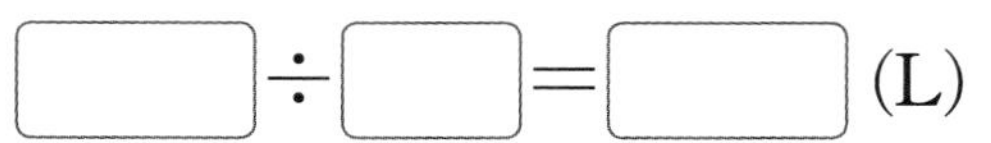

☐÷☐=☐ (L)

3-4

2.55 L

☐÷☐=☐ (L)

문장 읽고 계산식 세우기

4-1

철사 60.2 cm를 14도막으로 똑같이 잘랐을 때 한 도막은 몇 cm?

식 60.2÷14=☐ (cm)

4-2

털실 3.84 m를 12도막으로 똑같이 잘랐을 때 한 도막은 몇 m?

식 ☐÷☐=☐ (m)

2주 평가

누구나 100점 맞는 TEST

계산해 보세요.

1. $4\overline{)24.8}$

2. $2\overline{)64.2}$

3. $6\overline{)21.6}$

4. $13\overline{)61.1}$

5. $8\overline{)2.96}$

6. $5\overline{)4.45}$

7. $9\overline{)83.34}$

8. $3\overline{)15.81}$

9. $7\overline{)5.81}$

10. $26\overline{)15.08}$

▶ 정답 및 풀이 13쪽

제한 시간 10분

맞은 개수 / 20개

⑪ $17.35 \div 5$

⑫ $4.34 \div 7$

⑬ $8.46 \div 9$

⑭ $53.16 \div 6$

⑮ $7.98 \div 6$

⑯ $36.8 \div 4$

⑰ $30.72 \div 12$

⑱ $41.8 \div 11$

⑲ $79.8 \div 38$

⑳ $34.5 \div 23$

제한 시간 안에 정확하게 모두 풀었다면
여러분은 진정한 **계산왕!**

2주 평가

창의 · 융합 · 코딩

오징어의 무게를 구해 봐.

엘리와 라라는 바다에서 오징어를 구경한 후 오징어 가게에 갔습니다.

무게가 모두 같은 오징어 3마리를 샀더니 무게가 1.44 kg이었어.
오징어 한 마리는 몇 kg인 걸까?

$1.44 \div \square = \square$ (kg)

오징어 한 마리는 $\square$ (kg)이야.

▶정답 및 풀이 13쪽

라라의 키를 구해 봐.

융합 2 친구들은 경주에 있는 불국사로 떠났어요.

다보탑의 높이가 너의 키의 7배라면 네 키는 몇 m인 거야?

$10.29 \div \square = \square$ (m)

내 키는 $\square$ (m)야.

창의 · 융합 · 코딩

융합 3 새우젓 11.07 kg을 9개의 통에 똑같이 나누어 담으려고 합니다. 한 개의 통에 담은 새우젓은 몇 kg인지 구하세요.

답 ______________ kg

창의 4 1분 동안 탄 초의 길이를 구하세요.

3월 마지막 주 토요일

오늘은 지구촌 불끄기 행사가 있는 날이다. 나도 1시간 동안 전등을 끄고 초에 불을 붙였다. 초는 일정한 빠르기로 3분 동안 1.47 cm가 탔다.

답 ______________ cm

▶정답 및 풀이 13쪽

융합 5 러시아는 세계에서 면적이 가장 큰 나라입니다. 다음과 같이 넓이가 $9.64\ \text{cm}^2$인 직사각형 모양의 러시아 국기를 그렸습니다. 국기의 세로는 몇 cm인지 구하세요.

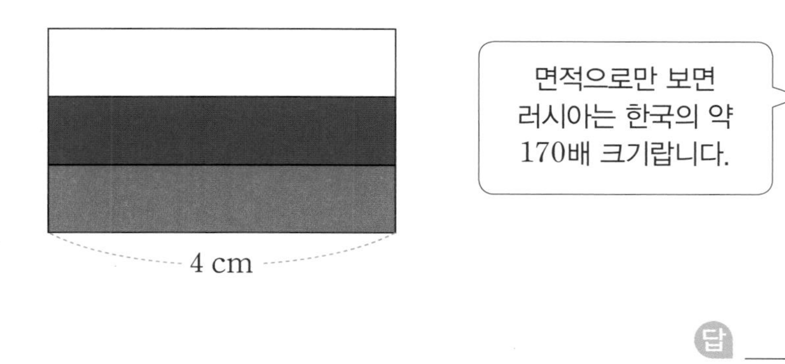

4 cm
면적으로만 보면
러시아는 한국의 약
170배 크기랍니다.

답 ________________ cm

융합 6 진솔이네 집에서 한라산 입구까지의 거리는 유정이네 집에서 한라산 입구까지의 거리의 몇 배인지 구하세요.

답 ________________ 배

창의 7 문제의 답을 따라가면 지욱이가 가장 먼저 가야 하는 곳을 알 수 있습니다. 어느 곳인지 쓰세요.

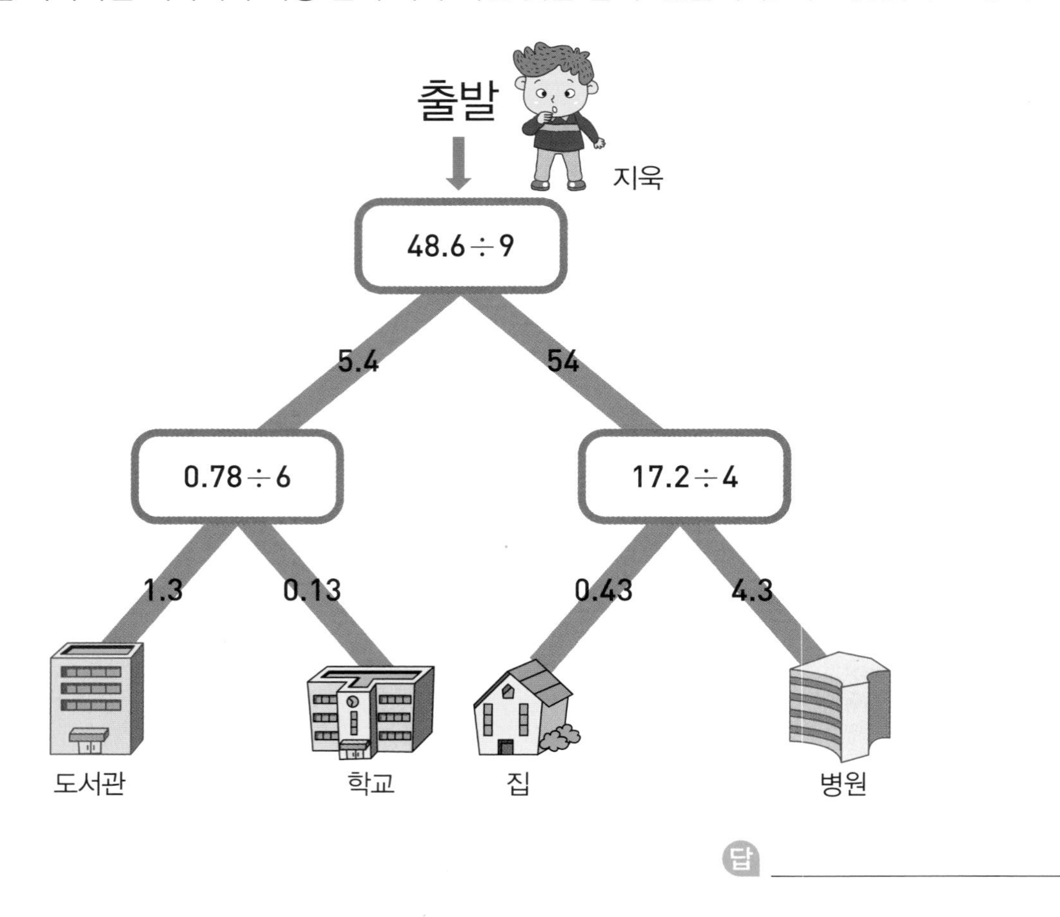

답 ____________

창의 8 사다리를 타고 내려가 도착한 곳에 몫을 써넣으세요.

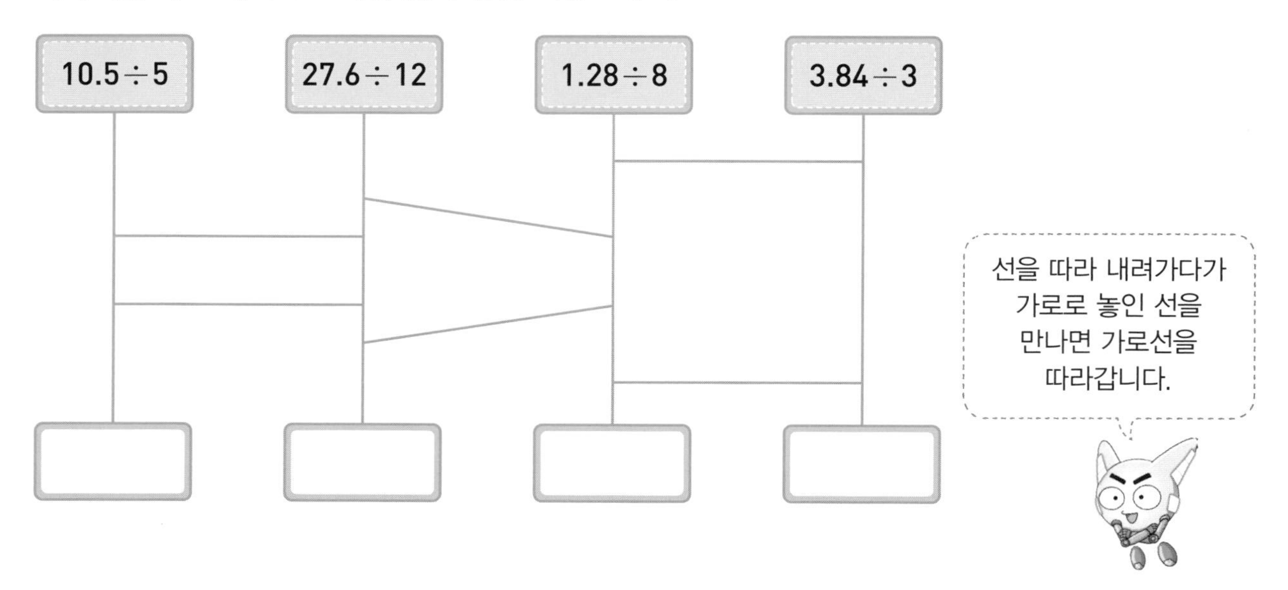

▶ 정답 및 풀이 13쪽

 바나나를 몰래 먹은 원숭이를 찾아 ○표 하세요.

내가 힌트를 줄테니 범인을 찾아보렴.

힌트 1 10.4÷13을 계산한 값보다 큰 수를 말하고 있어요.
힌트 2 19.6÷7을 계산한 값보다 작은 수를 말하고 있어요.
힌트 3 소수 두 자리 수를 말하고 있어요.

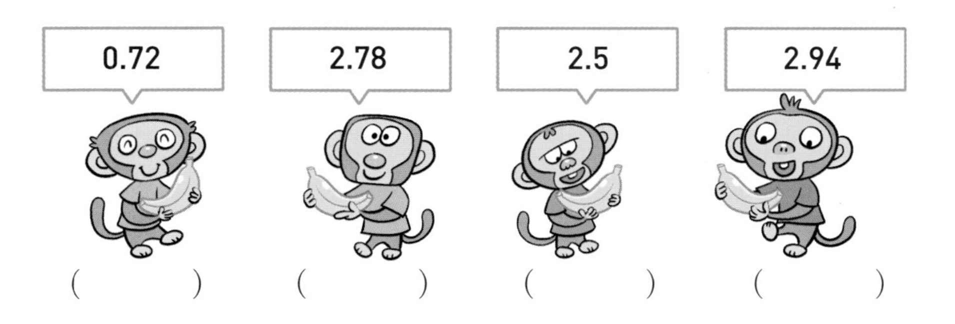

( ) ( ) ( ) ( )

2주 특강

3 주

소수의 나눗셈 (2)

호야, 우리 졸업
할 수 있겠지?

응, 아직 하루가
남았으니 노력해
보자.
움찔

와~ 또 잡았다.
우와~

음~ 맛있겠다!
타닥
타닥

선생님, 저희가 점수를
더 많이 받을 수 있는 방법이
있을까요?
우걱
우걱

그럼~ 방법이 있지.
그 방법이
뭐예요?

중간에 내가 내는 문제를 맞히면
보너스 점수를 줄게.

그런 의미에서
문제~.

7.6÷5는?
저요
저요

이번에 배울 내용을 알아볼까요? 1

똑똑한 하루 계산

1일 소수점 아래 0을 내려 계산하는 (소수)÷(자연수)
2일 몫의 소수 첫째 자리에 0이 있는 (소수)÷(자연수)
3일 나누는 수가 두 자리 수인 (소수)÷(자연수)
4일 (자연수)÷(자연수)의 몫을 소수로 나타내기
5일 어떤 수 구하기

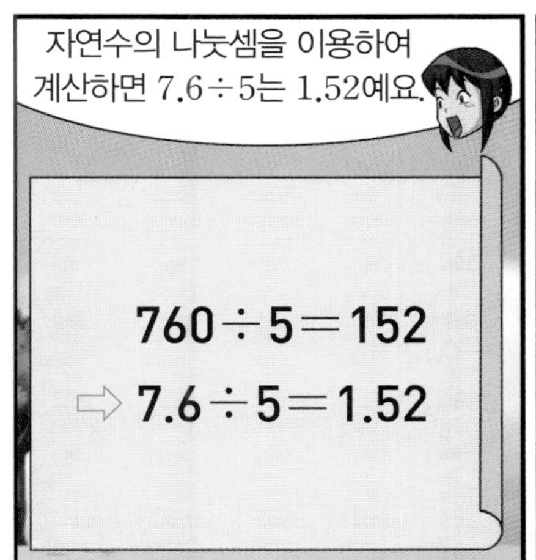

자연수의 나눗셈을 이용하여 계산하면 7.6÷5는 1.52예요.
760÷5=152
⇨ 7.6÷5=1.52

야! 내가 먼저 손들었잖아!
무슨 소리야! 먼저 답을 말해야지.
훗

보너스 문제는 너희 모두의 점수란다.

스윽

갑자기 왜 어두워지지?

으악! 몬스터다!!
크아아앙
헉!!
뜨헉

쾅

얘들아! 괜찮니?
촤아악

네, 괜찮아요!

이번에 배울 내용을 알아볼까요? ②

6-1 (소수) ÷ (자연수)

무게가 똑같은 물고기 6마리의 무게를 잰 거야.
물고기 한 마리의 무게는 8.4÷6을 계산하면 돼.
8.4 kg

소수의 나눗셈은 자연수의 나눗셈과 같은 방법으로 계산하고~.

몫의 소수점은 나누어지는 수의 소수점 위치에 맞춰 올려 찍어요.

```
    1.4
6 ) 8.4
    6
    2 4
    2 4
      0
```

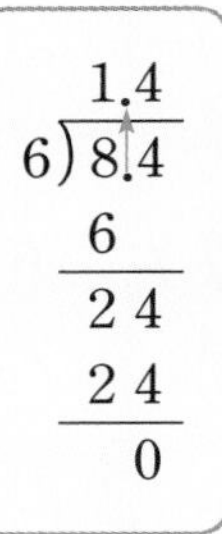

계산해 보세요.

1-1 $3\overline{)4.8}$

1-2 $4\overline{)5.2}$

 빈칸에 알맞은 소수를 써넣으세요.

2-1 ÷

9.6	3	

2-2 ÷

7.14	6	

6-1 몫이 1보다 작은 소수인 (소수)÷(자연수)

0.75
전체 에너지가 0.75인 몬스터를 똑같이 3번 공격해서 무찌를 거예요.
0.75÷3의 몫이 0.25니까 0.25씩 3번 공격하렴.
0.2 5
3) 0.7 5
6
1 5
1 5
0

소수의 나눗셈은 분수의 나눗셈으로 바꾸어 계산할 수 있어요.

$$0.75 \div 3 = \frac{75}{100} \div 3 = \frac{75 \div 3}{100} = \frac{25}{100} = 0.25$$

계산해 보세요.

3-1 $5\overline{)4.5}$

3-2 $4\overline{)3.6}$

□ 안에 알맞은 수를 써넣으세요.

4-1 $0.74 \div 2 = \frac{74}{100} \div 2 = \frac{\square \div \square}{100} = \frac{\square}{100} = \square$

4-2 $0.45 \div 3 = \frac{45}{100} \div 3 = \frac{\square \div \square}{100} = \frac{\square}{100} = \square$

소수점 아래 0을 내려 계산하는 (소수)÷(자연수) ①

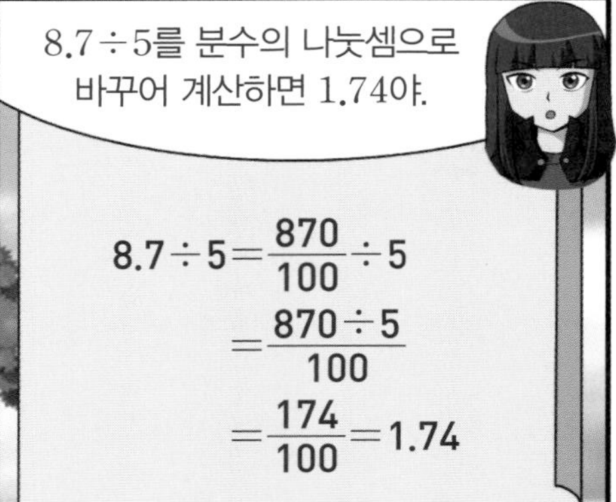

똑똑한 하루 계산법

• 8.7÷5의 계산 방법

방법 1 분수의 나눗셈으로 바꾸어 계산하기

$$8.7 \div 5 = \frac{870}{100} \div 5 = \frac{870 \div 5}{100} = \frac{174}{100} = 1.74$$

방법 2 자연수의 나눗셈을 이용하여 계산하기

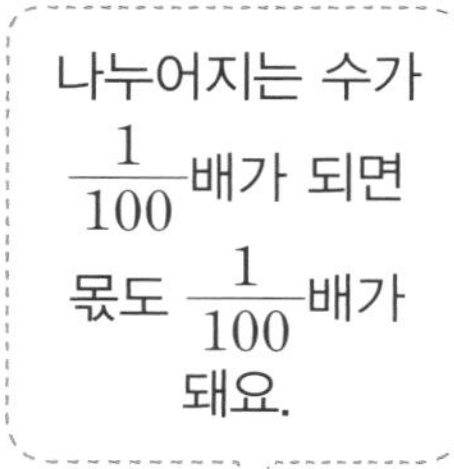

나누어지는 수가 $\frac{1}{100}$배가 되면 몫도 $\frac{1}{100}$배가 돼요.

OX 퀴즈

계산이 바르면 ○에, 틀렸으면 ×에 ○표 하세요.

660÷4=165
⇨ 6.6÷4=1.65

정답 ○에 ○표

똑똑한 계산 연습

▶정답 및 풀이 14쪽

제한 시간 5분

계산해 보세요.

① $1.8 \div 5 = \dfrac{\square}{100} \div 5 = \dfrac{\square \div 5}{100} = \dfrac{\square}{100} = \square$

② $7.5 \div 6 = \dfrac{\square}{100} \div 6 = \dfrac{\square \div 6}{100} = \dfrac{\square}{100} = \square$

③ $3.4 \div 4 = \dfrac{\square}{100} \div 4 = \dfrac{\square \div 4}{100} = \dfrac{\square}{100} = \square$

④ $8.4 \div 5$

⑤ $9.2 \div 8$

⑥ $8.7 \div 6$

⑦ $1.7 \div 5$

⑧ $31.5 \div 6$

⑨ $50.8 \div 8$

⑩ $10.6 \div 4$

분수의 나눗셈으로 바꾸어 계산해 보세요.

1일 소수점 아래 0을 내려 계산하는 (소수)÷(자연수) ②

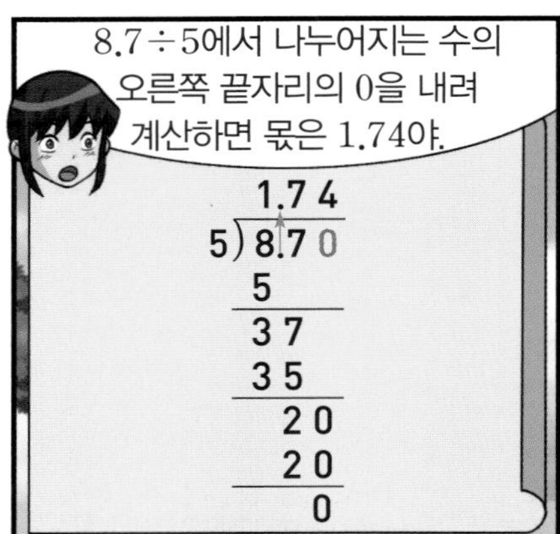

똑똑한 하루 계산법

• 8.7÷5를 세로로 계산하기

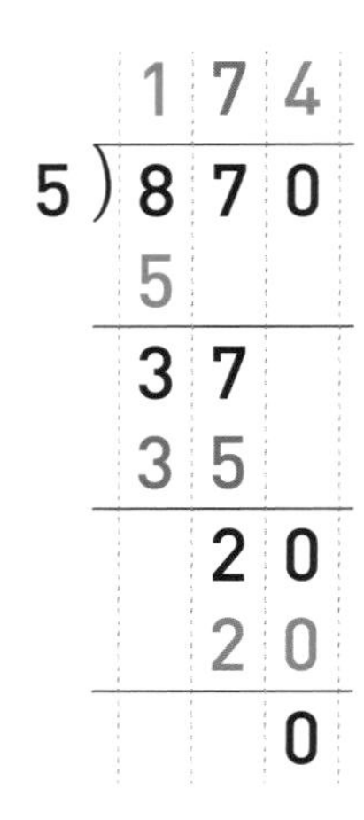

⇨

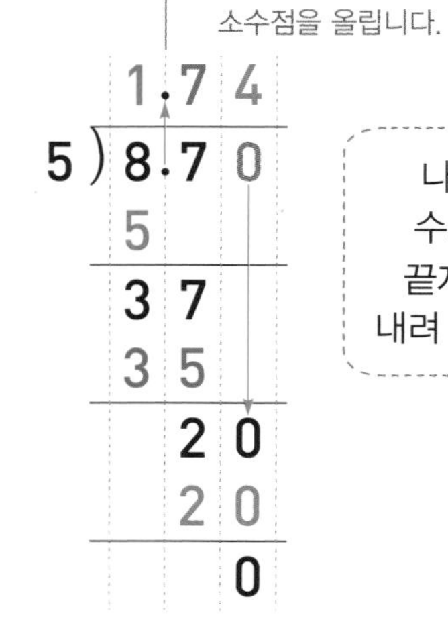

나누어지는
수의 오른쪽
끝자리의 0을
내려 계산합니다.

○✕ 퀴즈

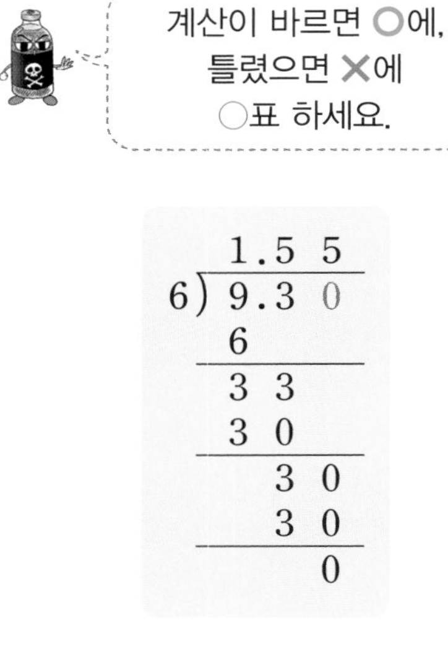

정답 ○에 ○표

똑똑한 계산 연습

▶정답 및 풀이 14~15쪽

제한 시간 5분

계산해 보세요.

❶ $5\overline{)9.2}$

❷ $6\overline{)26.1}$

❸ $8\overline{)11.6}$

❹ 

❺ 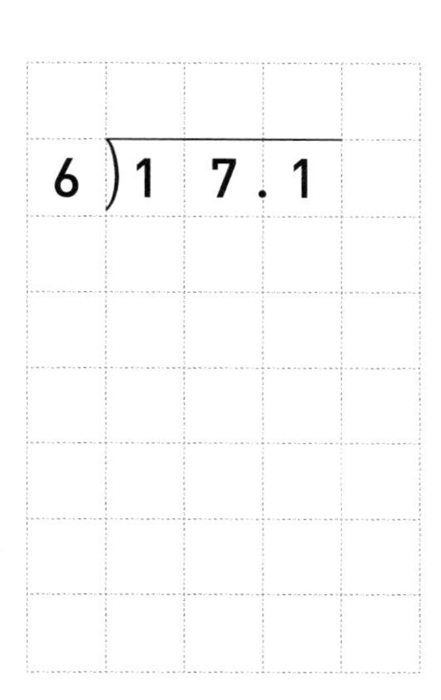

❻ 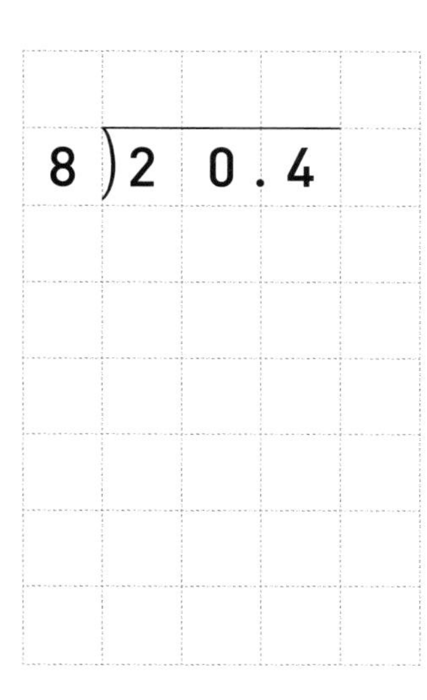

❼ 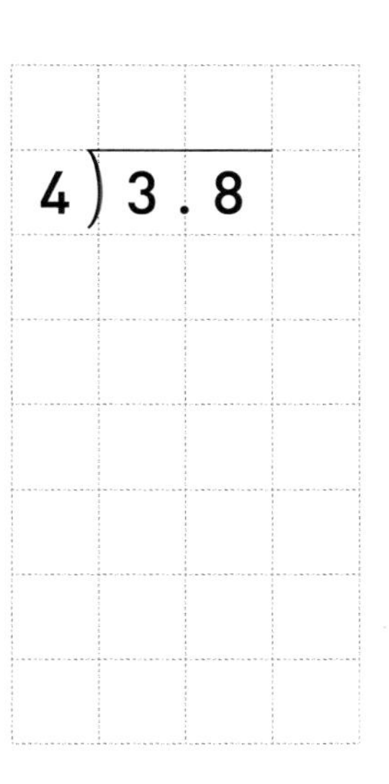

❽ 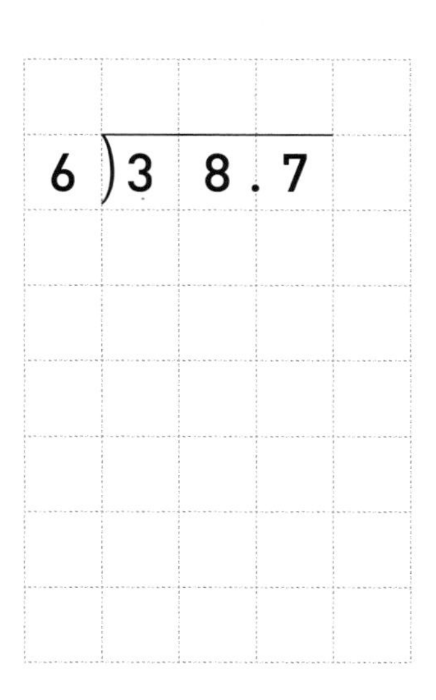

❾ 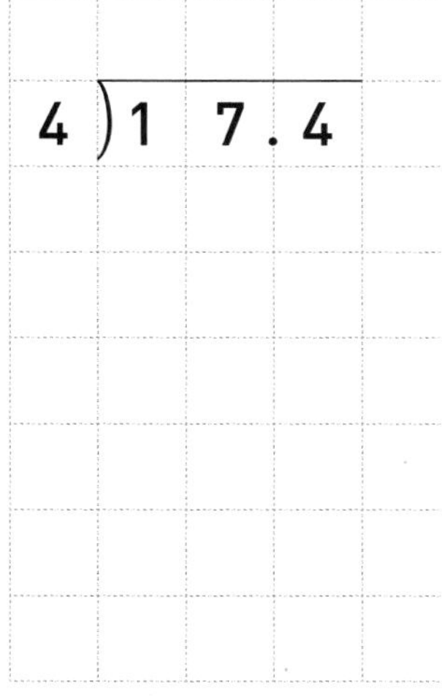

기초 집중 연습

 자연수의 나눗셈을 이용하여 소수의 나눗셈을 계산해 보세요.

1-1 780÷4=☐ ⇨ 7.8÷4=☐

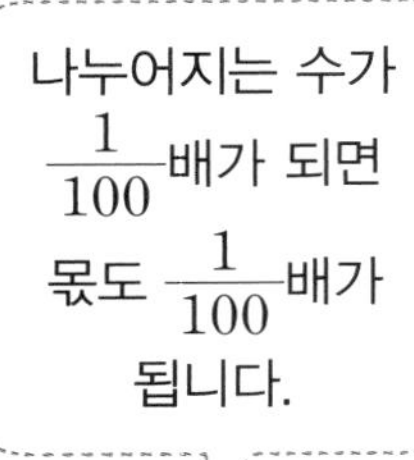

나누어지는 수가 $\frac{1}{100}$배가 되면 몫도 $\frac{1}{100}$배가 됩니다.

1-2 690÷6=☐ ⇨ 6.9÷6=☐

1-3 620÷5=☐ ⇨ 6.2÷5=☐

1-4 930÷6=☐ ⇨ 9.3÷6=☐

 빈칸에 알맞은 소수를 써넣으세요.

2-1 8.6 → ÷5 → ☐

2-2 20.1 → ÷6 → ☐

2-3 9.8 → ÷4 → ☐

2-4 23.6 → ÷8 → ☐

제한 시간 10분

생활 속 계산

자전거를 타고 트랙을 따라 구간별로 일정한 빠르기로 달렸습니다. 각 구간에서 1분 동안 달린 거리를 구하세요.

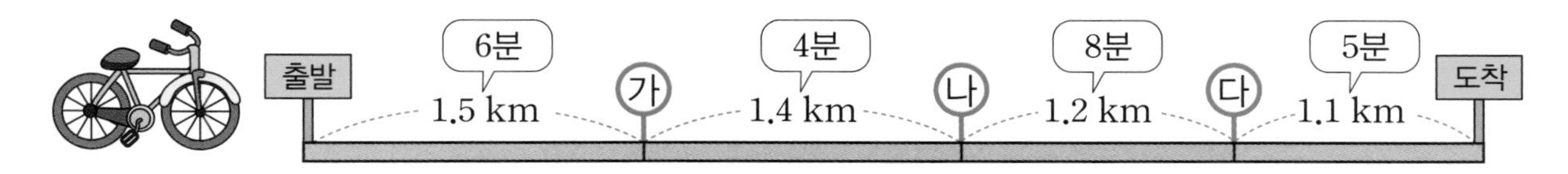

3-1 출발 ~ ㉮

$1.5 \div 6 = \square$ (km)

3-2 ㉮ ~ ㉯

$1.4 \div 4 = \square$ (km)

3-3 ㉯ ~ ㉰

$1.2 \div 8 = \square$ (km)

3-4 ㉰ ~ 도착

$1.1 \div 5 = \square$ (km)

문장 읽고 계산식 세우기

4-1 사료 25.8 kg을 강아지 5마리에게 똑같이 나누어 줄 때 한 마리당 몇 kg?

식 $25.8 \div \square = \square$ (kg)

4-2 길이가 21.2 m인 리본을 8도막으로 똑같이 나눌 때 한 도막의 길이는 몇 m?

식 $\square \div 8 = \square$ (m)

3주 1일

2일 몫의 소수 첫째 자리에 0이 있는 (소수)÷(자연수) ①

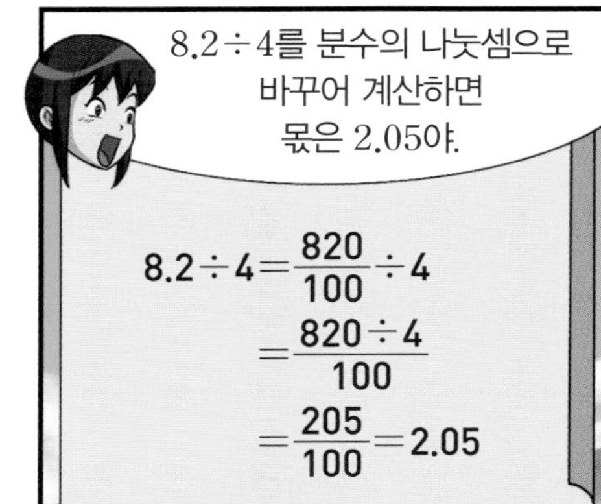

똑똑한 하루 계산법

- 8.2÷4의 계산 방법

방법 1 분수의 나눗셈으로 바꾸어 계산하기

$$8.2\div4=\frac{820}{100}\div4=\frac{820\div4}{100}=\frac{205}{100}=2.05$$

방법 2 자연수의 나눗셈을 이용하여 계산하기

$$820\div4=205 \Rightarrow 8.2\div4=2.05$$

(820 → 8.2: $\frac{1}{100}$배, 205 → 2.05: $\frac{1}{100}$배)

○× 퀴즈

계산이 바르면 ○에, 틀렸으면 ×에 ○표 하세요.

$$6.3\div6=\frac{630}{100}\div6=\frac{630\div6}{100}=\frac{105}{100}=1.05$$

 ○  ×

정답 ○에 ○표

똑똑한 계산 연습

▶정답 및 풀이 15쪽

제한 시간 5분

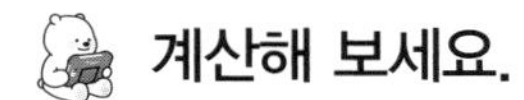

계산해 보세요.

❶ $5.2 \div 5 = \frac{\square}{100} \div 5 = \frac{\square \div 5}{100} = \frac{\square}{100} = \square$

❷ $6.18 \div 3 = \frac{\square}{100} \div 3 = \frac{\square \div 3}{100} = \frac{\square}{100} = \square$

❸ $7.14 \div 7 = \frac{\square}{100} \div 7 = \frac{\square \div 7}{100} = \frac{\square}{100} = \square$

❹ $8.4 \div 8$

❺ $10.3 \div 5$

❻ $12.1 \div 2$

❼ $35.4 \div 5$

❽ $0.24 \div 3$

❾ $6.54 \div 6$

❿ $7.42 \div 7$

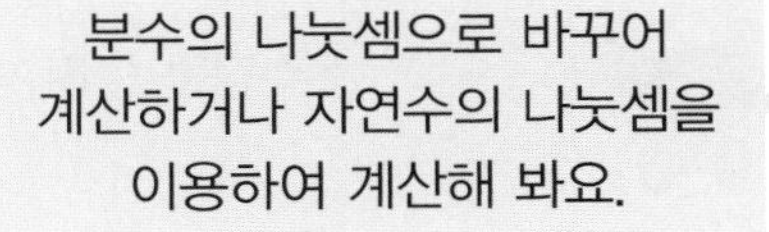

3주 2일

2일 몫의 소수 첫째 자리에 0이 있는 (소수)÷(자연수) ②

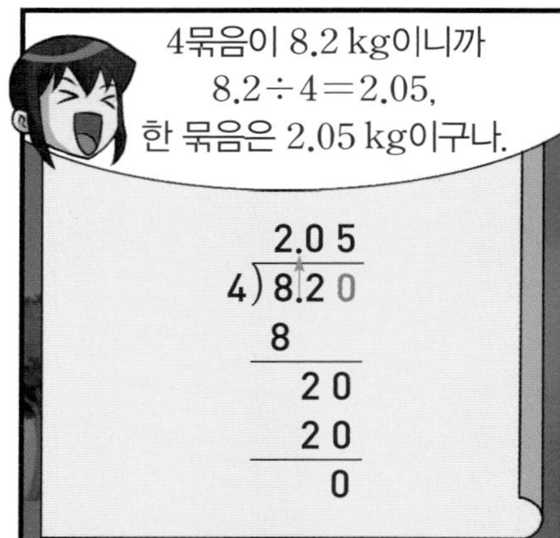

똑똑한 하루 계산법

• 8.2÷4를 세로로 계산하기

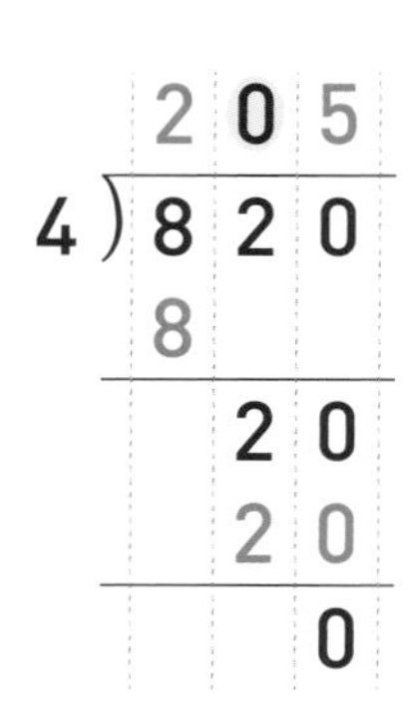

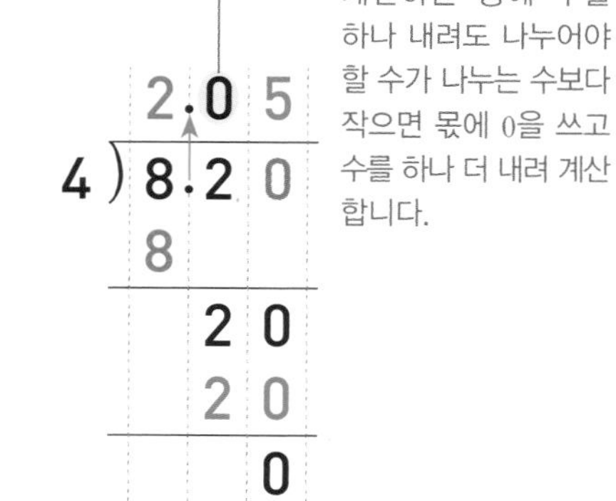

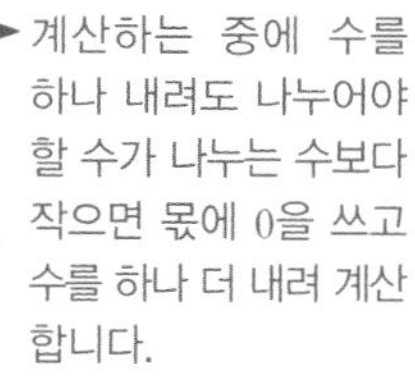

계산하는 중에 수를 하나 내려도 나누어야 할 수가 나누는 수보다 작으면 몫에 0을 쓰고 수를 하나 더 내려 계산합니다.

몫의 소수점은 나누어지는 수의
소수점을 올려 찍습니다.

○× 퀴즈

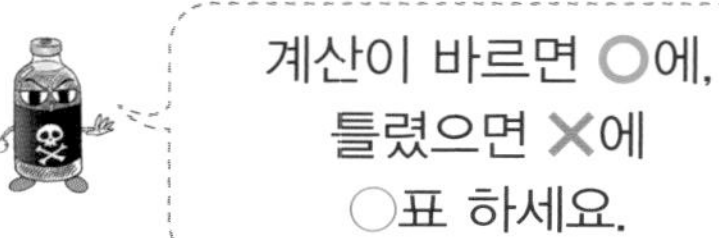

계산이 바르면 ○에,
틀렸으면 ×에
○표 하세요.

```
    1.8
5) 5.4 0
   5
     4 0
     4 0
       0
```

정답 ×에 ○표

똑똑한 계산 연습

▶정답 및 풀이 16쪽

제한 시간 5분

계산해 보세요.

1. $4\overline{)4.28}$

2. $8\overline{)56.4}$

3. $7\overline{)28.35}$

4. $3\overline{)9.21}$

5. $6\overline{)42.3}$

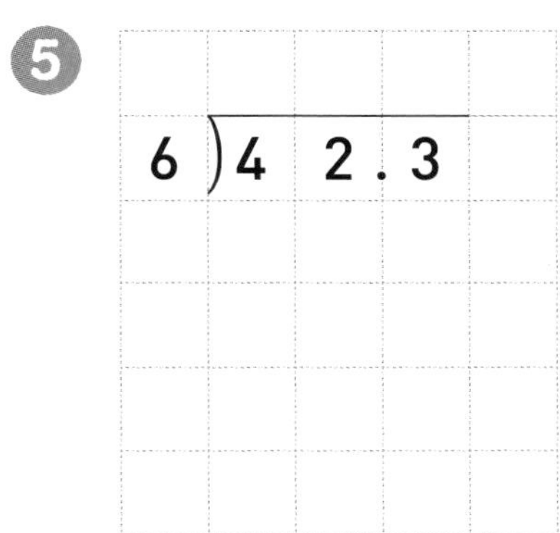

6. $5\overline{)25.25}$

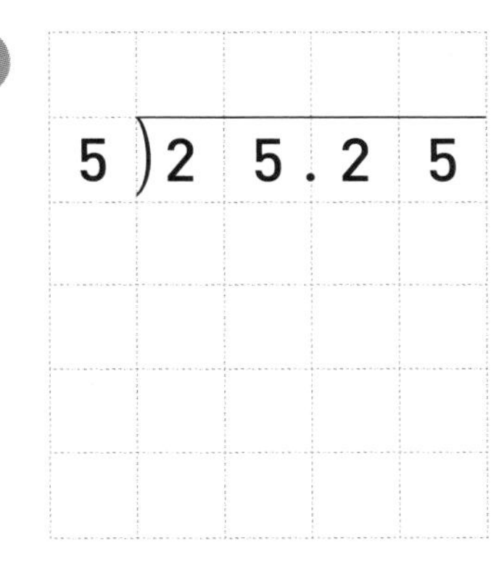

7. $3\overline{)6.24}$

8. $7\overline{)14.42}$

9. $9\overline{)45.81}$

2일 기초 집중 연습

 자연수의 나눗셈을 이용하여 소수의 나눗셈을 계산해 보세요.

1-1 $40 \div 5 =$ ☐ ⇨ $0.4 \div 5 =$ ☐

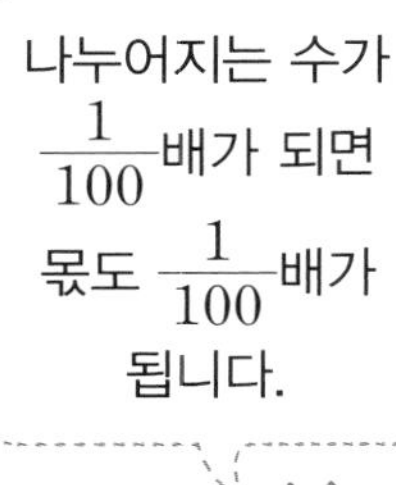

1-2 $4040 \div 8 =$ ☐ ⇨ $40.4 \div 8 =$ ☐

1-3 $42 \div 7 =$ ☐ ⇨ $0.42 \div 7 =$ ☐

1-4 $1830 \div 6 =$ ☐ ⇨ $18.3 \div 6 =$ ☐

 빈칸에 알맞은 소수를 써넣으세요.

2-1

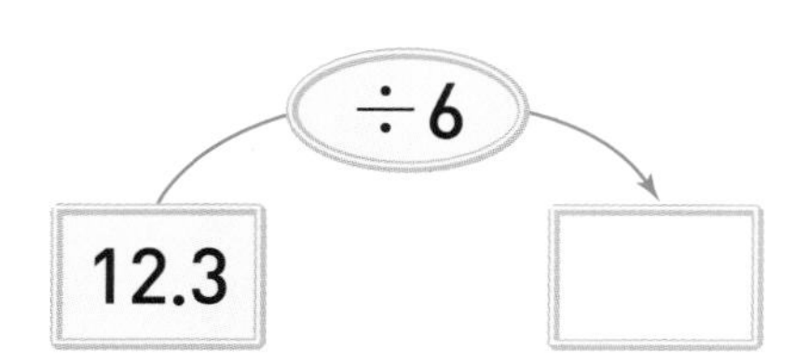

2-2

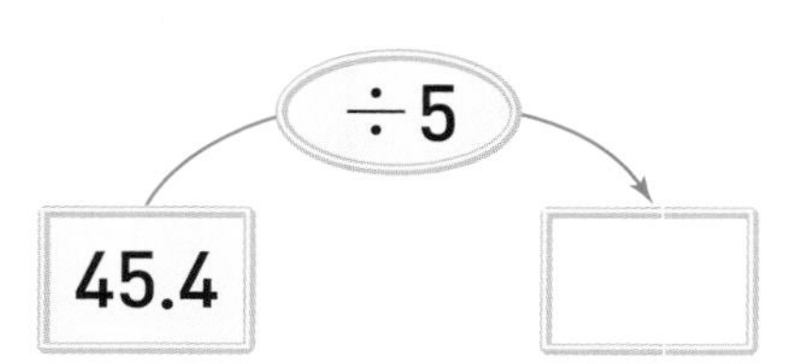

2-3

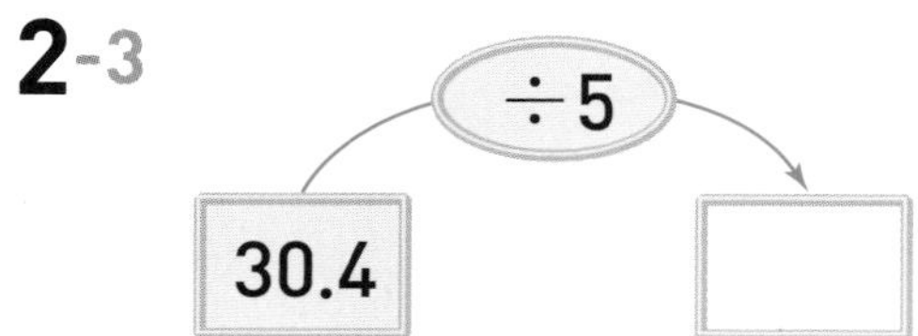

2-4

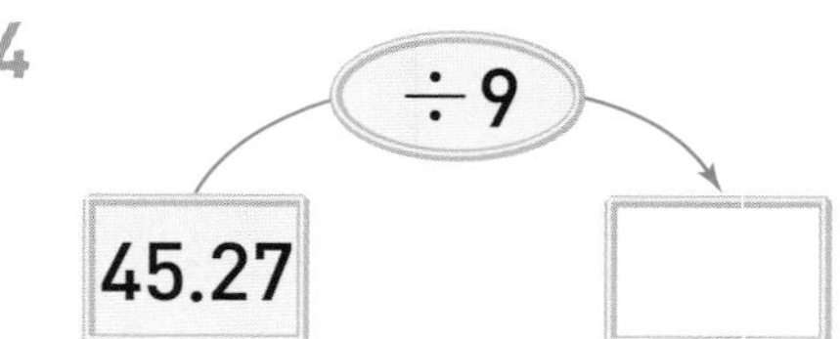

생활 속 계산

주어진 밀가루를 봉지에 똑같이 나누어 담으려고 합니다. 봉지 1개에 담아야 하는 밀가루 양을 구하세요.

3-1

봉지 4개에 담으면 한 봉지당 ☐ kg

3-2

봉지 3개에 담으면 한 봉지당 ☐ kg

3-3

봉지 6개에 담으면 한 봉지당 ☐ kg

3-4

봉지 5개에 담으면 한 봉지당 ☐ kg

문장 읽고 계산식 세우기

4-1

둘레가 3.24 m인 정삼각형의 한 변의 길이는 몇 m?

식 $3.24 \div \square = \square$ (m)

4-2

둘레가 12.24 cm인 정육각형의 한 변의 길이는 몇 cm?

식 $\square \div 6 = \square$ (cm)

4-3

똑같은 사전 9권의 무게가 9.18 kg일 때 사전 한 권의 무게는 몇 kg?

식 $9.18 \div 9 = \square$ (kg)

4-4

똑같은 책 3권의 무게가 3.21 kg일 때 책 한 권의 무게는 몇 kg?

식 $\square \div \square = \square$ (kg)

나누는 수가 두 자리 수인 (소수)÷(자연수) ①

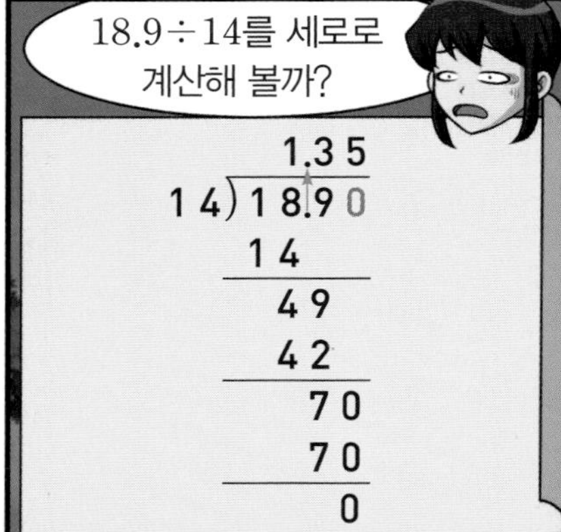

똑똑한 하루 계산법

• 소수점 아래 0을 내려서 계산하는 (소수)÷(두 자리 수)

예 18.9÷14의 계산

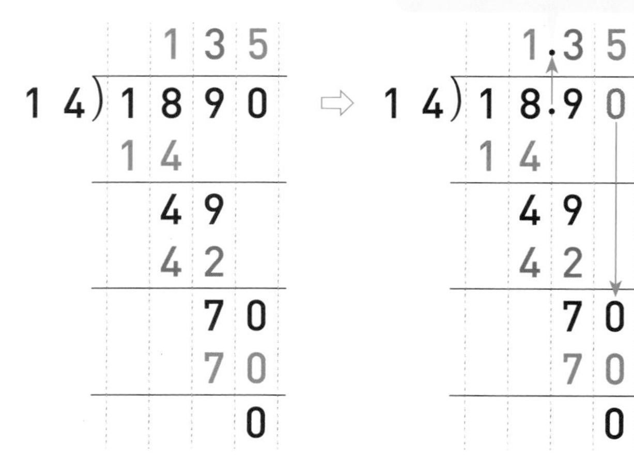
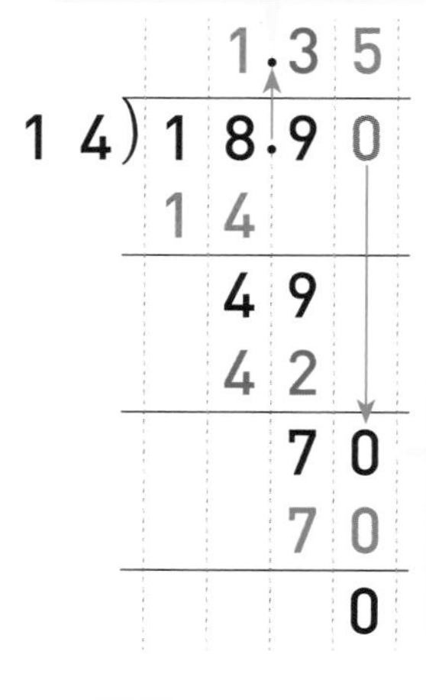

135
14)1890
14
49
42
70
70
0
⇨
몫의 소수점은 나누어지는 수의 소수점과 같은 자리에 찍습니다.
1.35
14)18.90
14
49
42
70
70
0
나누어지는 수의 오른쪽 끝자리의 0을 내려 계산합니다.

OX 퀴즈

계산이 바르면 ○에, 틀렸으면 ×에 ○표 하세요.

```
      2 4.5
1 2)2 9.4 0
    2 4
      5 4
      4 8
        6 0
        6 0
          0
```

 ○  ×

정답 ×에 ○표

똑똑한 계산 연습

▶정답 및 풀이 17쪽

제한 시간 5분

 계산해 보세요.

❶ $12\overline{)66.6}$

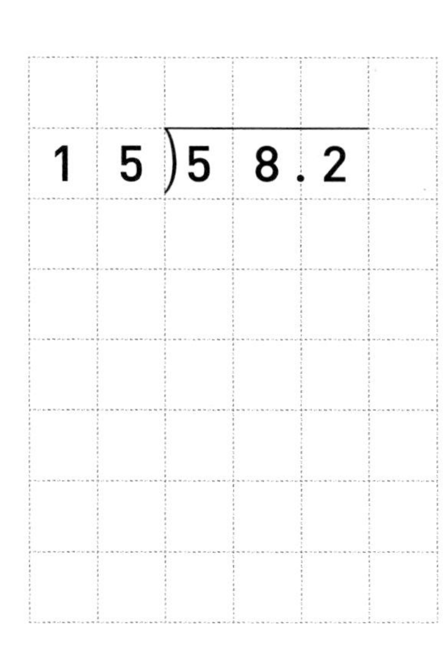

❷ $15\overline{)58.2}$

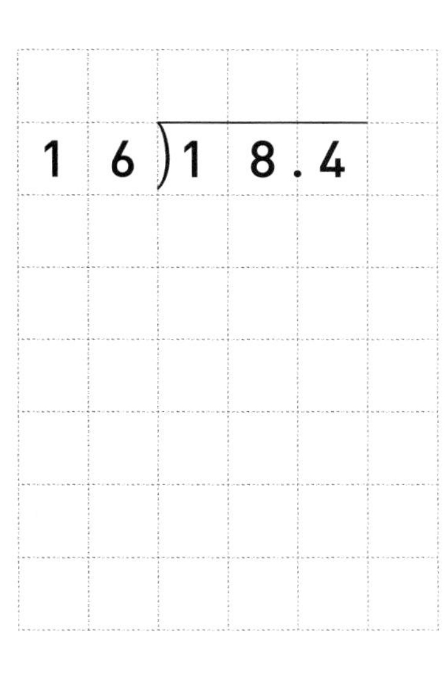

❸ $16\overline{)18.4}$

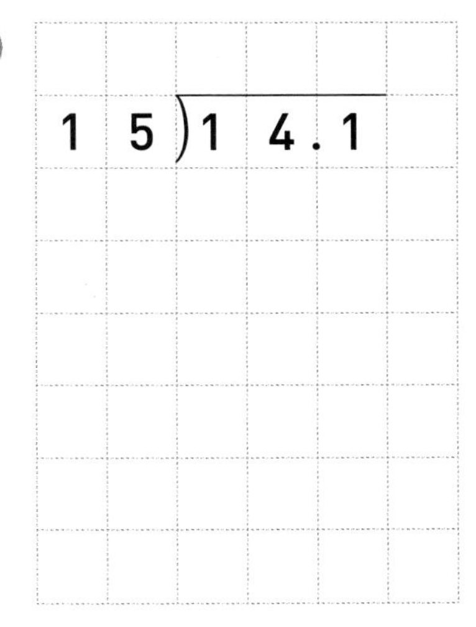

❹ $15\overline{)14.1}$

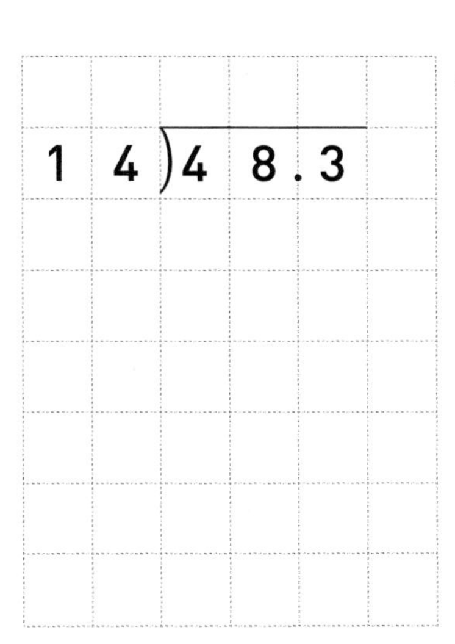

❺ $14\overline{)48.3}$

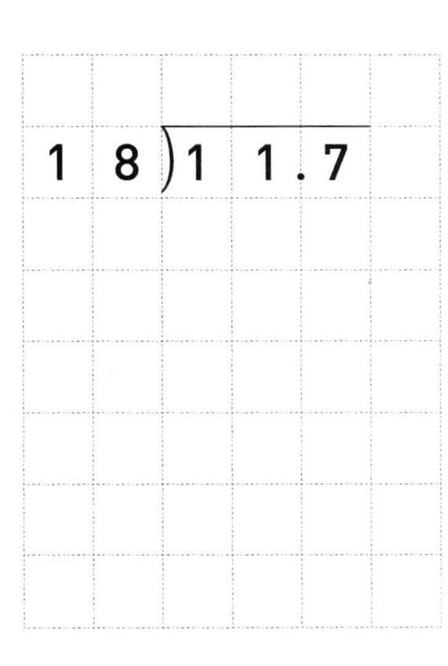

❻ $18\overline{)11.7}$

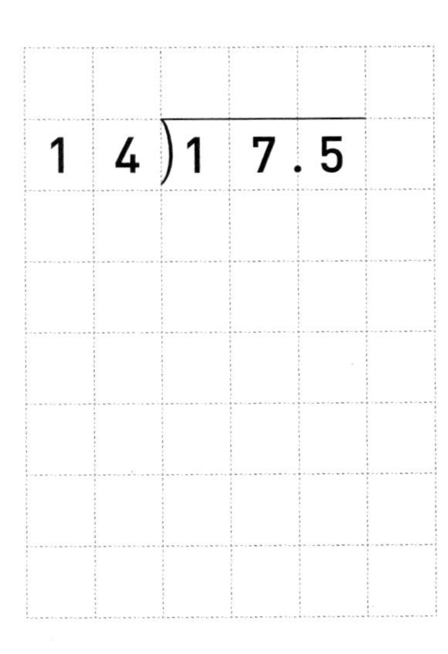

❼ $14\overline{)17.5}$

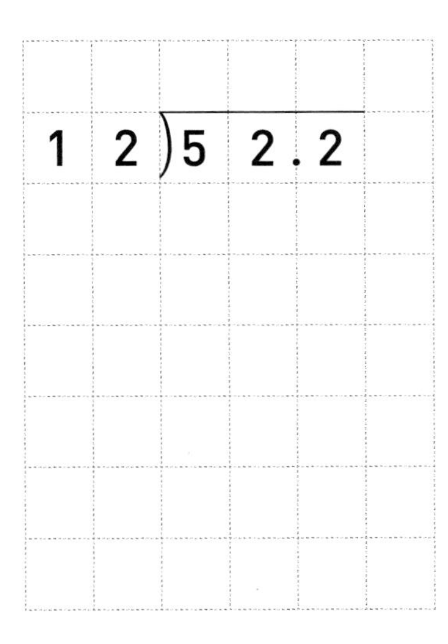

❽ $12\overline{)52.2}$

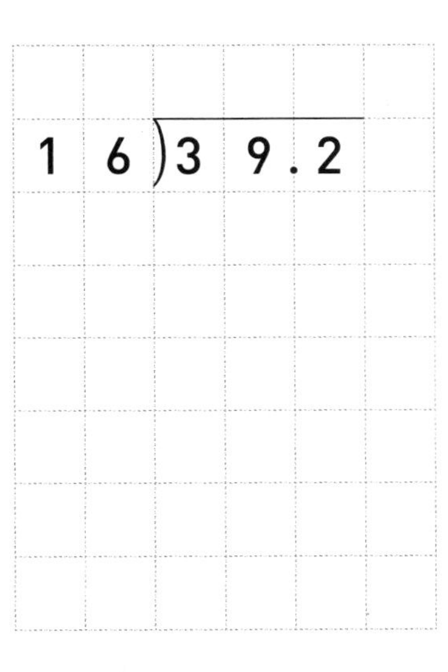

❾ $16\overline{)39.2}$

3일 나누는 수가 두 자리 수인 (소수)÷(자연수) ②

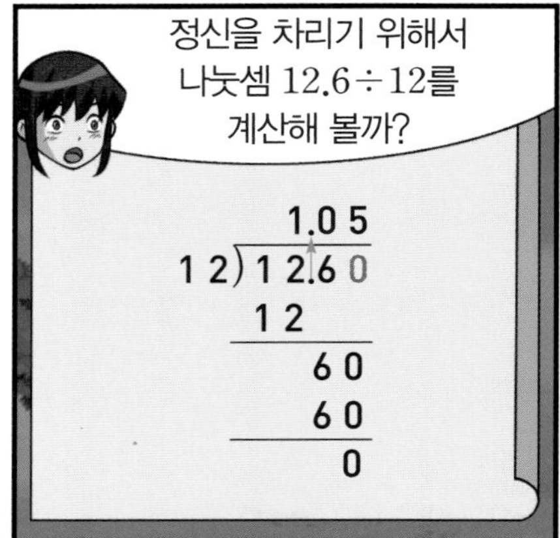

똑똑한 하루 계산법

• 몫의 소수 첫째 자리에 0이 있는 (소수)÷(두 자리 수)

예 12.6÷12의 계산

6에 12가 0번 들어갑니다.

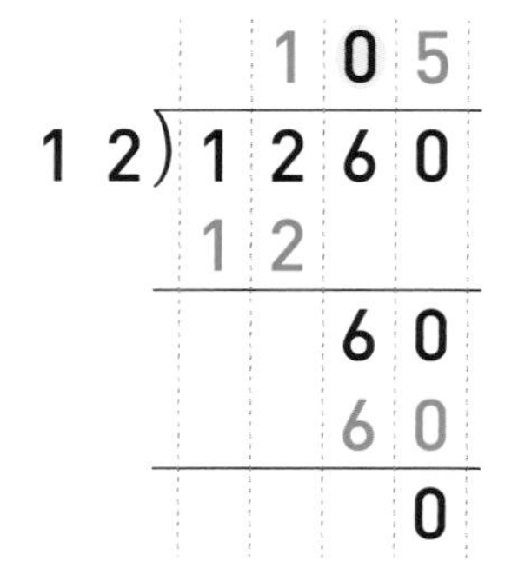

⇨

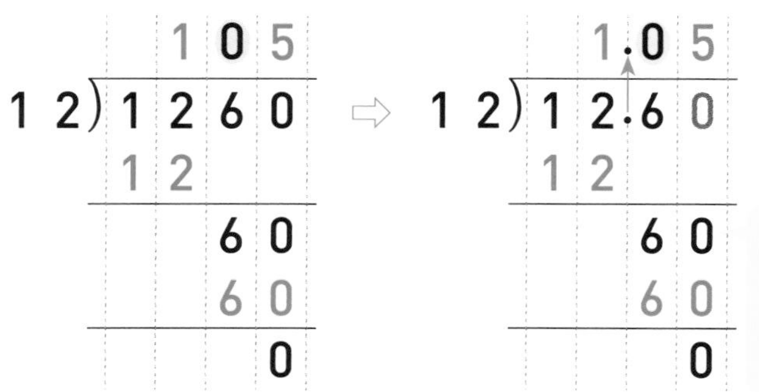

6에 12가 들어가지 않으므로 0을 내려 60을 만들어 계산합니다.

OX 퀴즈

계산이 바르면 ○에, 틀렸으면 ✕에 ○표 하세요.

```
        2.5
1 2) 2 4.6 0
     2 4
       6 0
       6 0
         0
```

정답 ✕에 ○표

똑똑한 계산 연습

▶정답 및 풀이 18쪽

제한 시간 5분

계산해 보세요.

❶ $14\overline{)42.84}$

❷ $13\overline{)13.78}$

❸ $12\overline{)36.84}$

❹ $11\overline{)22.88}$

❺ $15\overline{)61.2}$

❻ $16\overline{)48.8}$

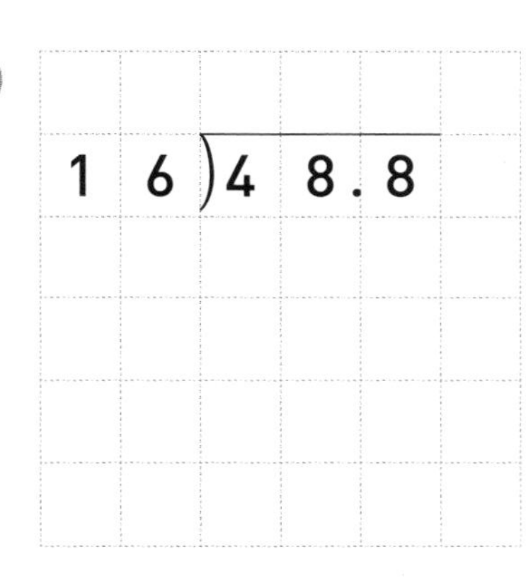

❼ $12\overline{)72.6}$

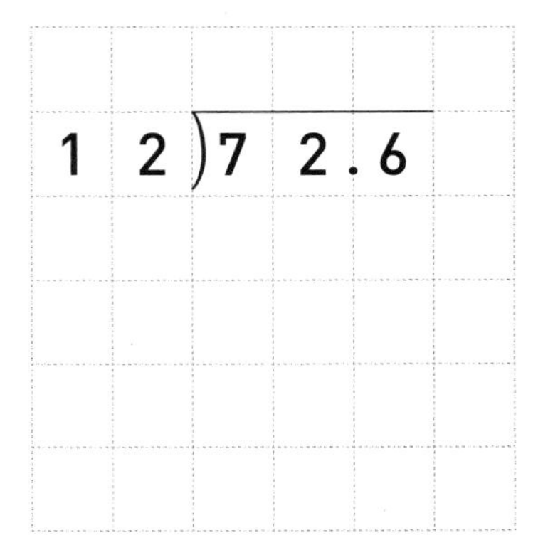

❽ $14\overline{)99.12}$

❾ $15\overline{)76.2}$

3일

기초 집중 연습

빈칸에 알맞은 소수를 써넣으세요.

1-1

40.2	÷12	

1-2

87.5	÷14	

1-3

31.2	÷15	

1-4

65.52	÷13	

소수를 자연수로 나눈 몫을 빈칸에 써넣으세요.

2-1

7.2	16

2-2

63.6	15

2-3

1.12	14

2-4

48.6	12

제한 시간 10분

생활 속 계산

음료수를 주어진 친구들과 똑같이 나누어 마시려고 합니다. 한 사람이 몇 L씩 마실 수 있는지 구하세요.

음료수	(포도)	(레몬)	(딸기)	(사과)
음료수의 양	11.22 L	1.8 L	14.7 L	7.8 L

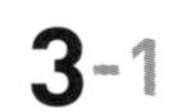

3-1  11명 ⇨ ☐ L

3-2  12명 ⇨ ☐ L

3-3  14명 ⇨ ☐ L

3-4  12명 ⇨ ☐ L

문장 읽고 계산식 세우기

4-1 설탕 29.12 kg을 봉지 14개에 똑같이 나누어 담으려고 할 때 한 봉지당 몇 kg?

식 ☐ $\div$ 14 = ☐ (kg)

4-2 길이가 69.6 cm인 끈을 15도막으로 똑같이 나눌 때 한 도막의 길이는 몇 cm?

식 69.6 $\div$ ☐ = ☐ (cm)

(자연수)÷(자연수)의 몫을 소수로 나타내기 ①

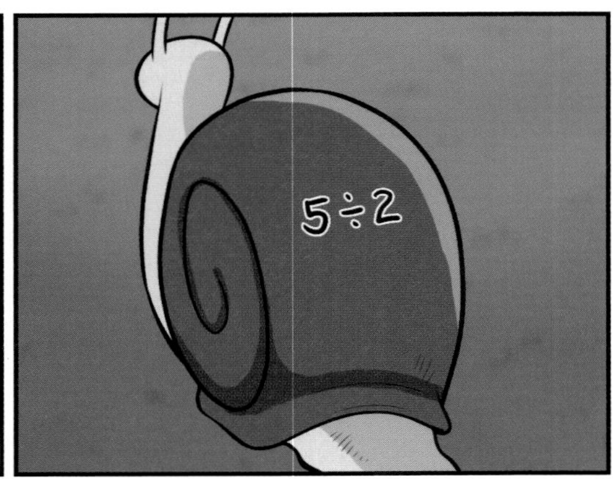

똑똑한 하루 계산법

• 몫이 1보다 큰 5÷2의 계산

방법 1 분수의 나눗셈으로 바꾸어 계산하기

$$5 \div 2 = \frac{5}{2} = \frac{5 \times 5}{2 \times 5} = \frac{25}{10} = 2.5$$

방법 2 세로로 계산하기

$$\begin{array}{r} 25 \\ 2\overline{)50} \\ 4 \\ \hline 10 \\ 10 \\ \hline 0 \end{array} \Rightarrow \begin{array}{r} 2.5 \\ 2\overline{)5.0} \\ 4 \\ \hline 10 \\ 10 \\ \hline 0 \end{array}$$

나머지가 0이 될 때까지 소수점 아래 0을 내려 계산합니다.

OX 퀴즈

계산이 바르면 ○에, 틀렸으면 ×에 ○표 하세요.

$$\begin{array}{r} 1.5 \\ 2\overline{)3.0} \\ 2 \\ \hline 10 \\ 10 \\ \hline 0 \end{array}$$

정답 ○에 ○표

▶정답 및 풀이 19쪽

똑똑한 계산 연습

제한 시간 5분

계산해 보세요.

❶ $11 \div 2 = \frac{\square}{2} = \frac{\square \times 5}{2 \times 5} = \frac{\square}{10} = \square$

❷ $9 \div 5 = \frac{\square}{5} = \frac{\square \times 2}{5 \times 2} = \frac{\square}{10} = \square$

❸ $13 \div 4 = \frac{\square}{4} = \frac{\square \times 25}{4 \times 25} = \frac{\square}{100} = \square$

❹ 2) 7

❺ 8) 1 2

❻ 1 5) 1 8

❼ 6) 9

❽ 5) 1 6

❾ 2 5) 3 5

(자연수)÷(자연수)의 몫을 소수로 나타내기 ②

똑똑한 하루 계산법

• 몫이 1보다 작은 3÷4의 계산

방법 1 분수의 나눗셈으로 바꾸어 계산하기

$$3\div4=\frac{3}{4}=\frac{3\times25}{4\times25}=\frac{75}{100}=0.75$$

방법 2 세로로 계산하기

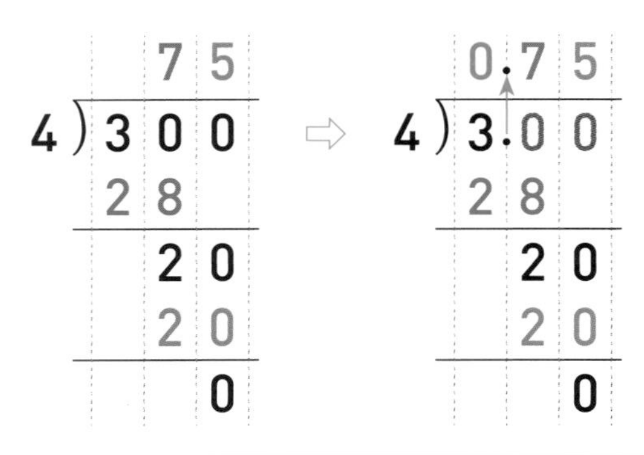

몫의 자연수 부분에 0을 쓰고 소수점 아래 0을 내려 계산합니다.

OX 퀴즈

계산이 바르면 ○에, 틀렸으면 ×에 ○표 하세요.

```
    0.7 5
8) 6.0 0
   5 6
     4 0
     4 0
       0
```

정답 ○에 ○표

똑똑한 계산 연습

▶정답 및 풀이 19쪽

제한 시간 5분

계산해 보세요.

❶ $3 \div 5 = \frac{\square}{5} = \frac{\square \times 2}{5 \times 2} = \frac{\square}{10} = \square$

❷ $6 \div 25 = \frac{\square}{25} = \frac{\square \times 4}{25 \times 4} = \frac{\square}{100} = \square$

❸ $9 \div 20 = \frac{\square}{20} = \frac{\square \times 5}{20 \times 5} = \frac{\square}{100} = \square$

❹ 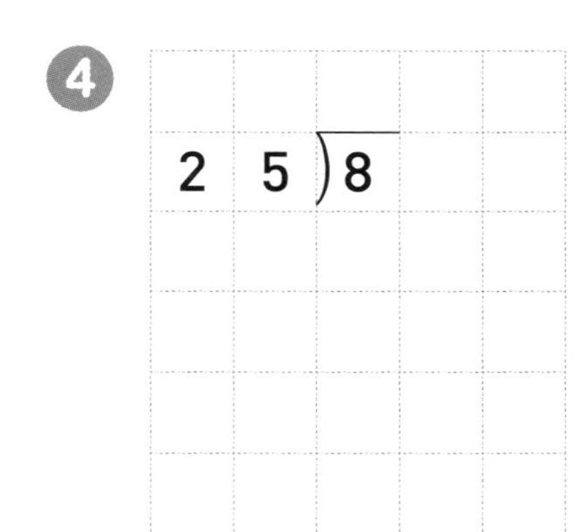

❺ 

❻ 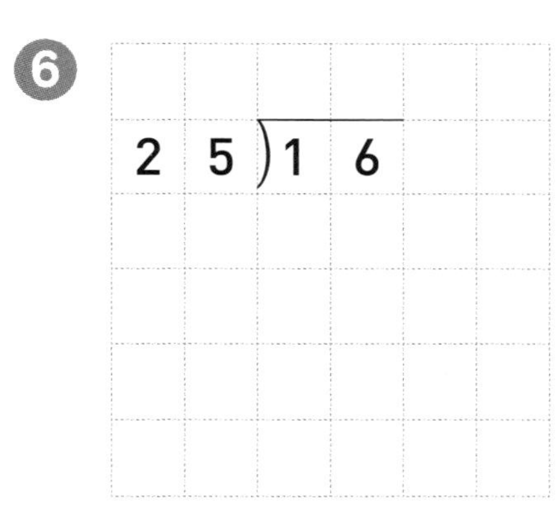

❼ 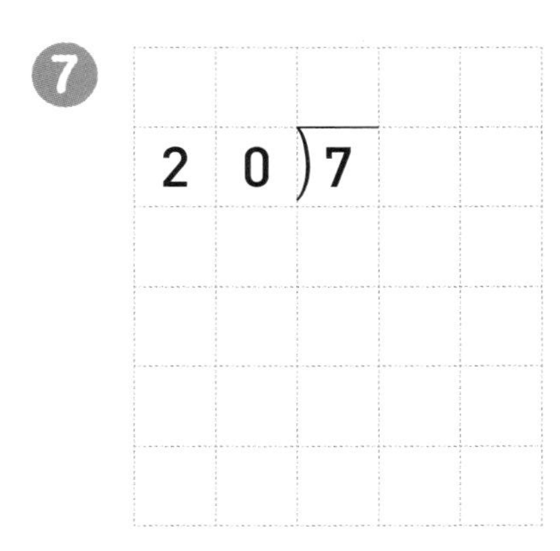

❽ 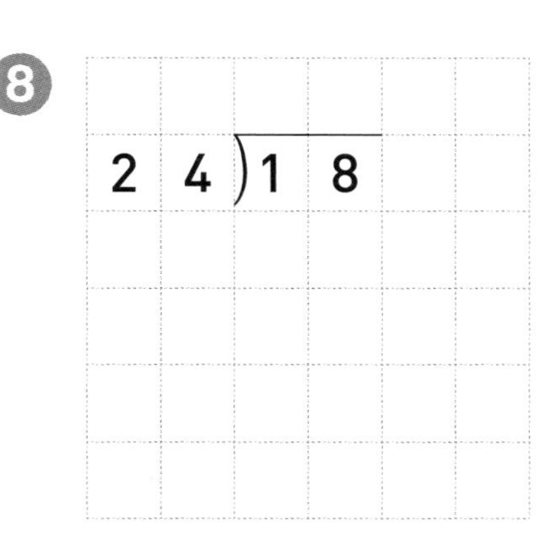

❾ 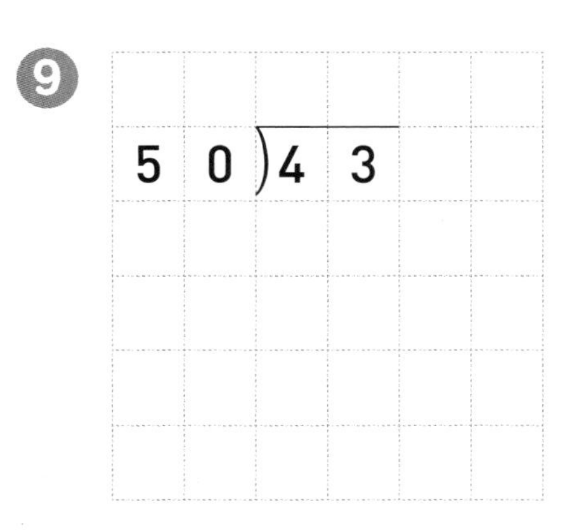

4일 기초 집중 연습

계산하여 몫을 소수로 나타내어 보세요.

1-1 $9 \div 4$

1-2 $7 \div 5$

1-3 $33 \div 50$

1-4 $16 \div 20$

빈칸에 알맞은 소수를 써넣으세요.

2-1 14 → $\div 8$ → □

2-1 15 → $\div 12$ → □

2-3 27 → $\div 25$ → □

2-4 19 → $\div 20$ → □

▶정답 및 풀이 20쪽

제한 시간 10분

생활 속 계산

주어진 리본 끈을 친구들이 똑같이 나누어 가졌을 때 한 명이 가진 리본 끈의 길이를 구하세요.

3-1

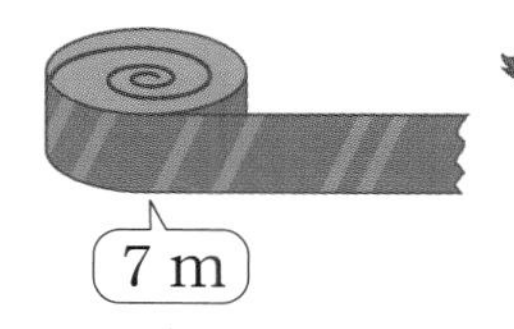

14명이 똑같이 나누었어요.

☐ m

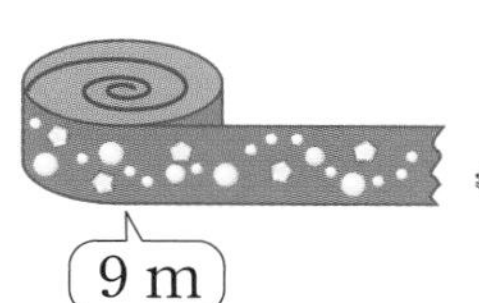

20명이 똑같이 나누었어요.

☐ m

3-3

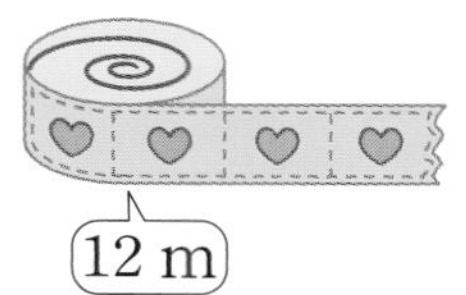

8명이 똑같이 나누었어요.

☐ m

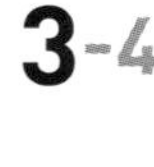

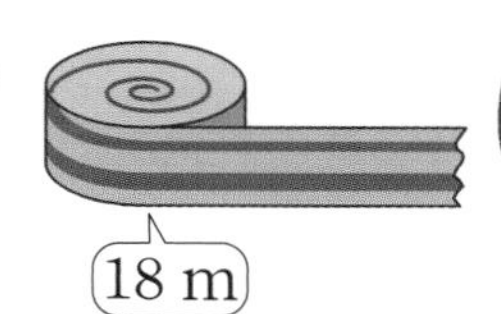

12명이 똑같이 나누었어요.

☐ m

3주 4일

문장 읽고 계산식 세우기

4-1

무게가 똑같은 멜론 5개의 무게가 11 kg일 때 멜론 한 개의 무게는 몇 kg?

식 $11 \div \square = \square$ (kg)

4-2

무게가 똑같은 수박 14개의 무게가 49 kg일 때 수박 한 개의 무게는 몇 kg?

식 $49 \div \square = \square$ (kg)

4-3

둘레가 10 cm인 정사각형의 한 변의 길이는 몇 cm?

식 $10 \div \square = \square$ (cm)

4-4

둘레가 27 cm인 정오각형의 한 변의 길이는 몇 cm?

식 $27 \div \square = \square$ (cm)

어떤 수 구하기 ①

꿈이라면 어서 깨야 해!
헉
척

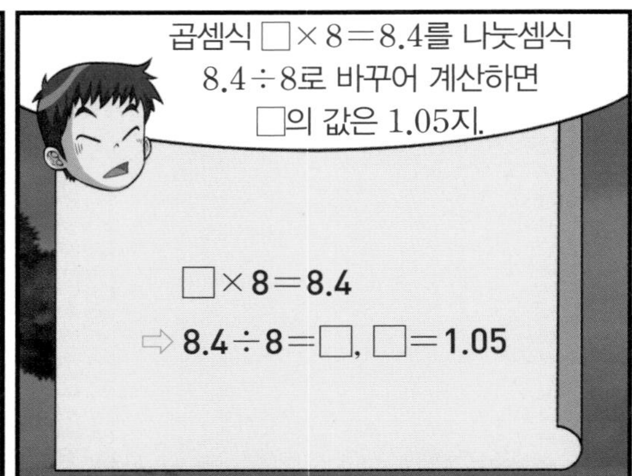

곱셈식 □×8=8.4를 나눗셈식 8.4÷8로 바꾸어 계산하면 □의 값은 1.05지.
□×8=8.4
⇨ 8.4÷8=□, □=1.05

문제가 술술 풀리는 걸 보면 꿈은 아니라는 건데…….
통
통
통

앗! 라라가 없어졌어.

똑똑한 하루 계산법

• **곱셈식 ●×8=8.4에서 ●의 값 구하기**

●×8=8.4

① 곱셈식을 나눗셈식으로 바꾸기

●×8=8.4 ⇨ 8.4÷8=●

② ●의 값 구하기

8.4÷8=●, ●=1.05

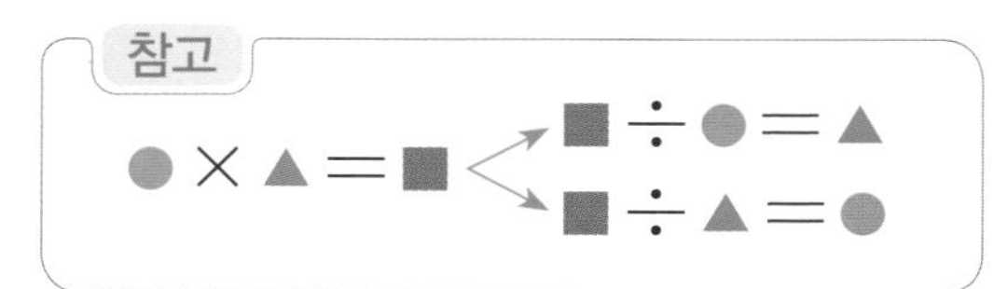

○× 퀴즈

계산이 바르면 ○에, 틀렸으면 ×에 ○표 하세요.

●×6=6.3

⇨ 6.3÷6=●, ●=1.5

○ ×

정답 ×에 ○표

똑똑한 계산 연습

▶정답 및 풀이 20쪽

제한 시간 5분

곱셈식에서 ●의 값을 구하세요.

❶ ● × 5 = 9.4

9.4 ÷ 5 = ●, ● = □

❷ ● × 4 = 4.32

4.32 ÷ 4 = ●, ● = □

❸ ● × 6 = 5.22

5.22 ÷ 6 = ●, ● = □

❹ ● × 5 = 25.8

25.8 ÷ 5 = ●, ● = □

❺ ● × 14 = 49.7

49.7 ÷ □ = ●, ● = □

❻ ● × 6 = 20.7

20.7 ÷ □ = ●, ● = □

❼ ● × 8 = 56.4

□ ÷ 8 = ●, ● = □

❽ ● × 5 = 40.4

□ ÷ 5 = ●, ● = □

어떤 수 구하기 ②

얘들아, 일어나렴!

너희를 깨울 수
있는 방법은…….
보너스 문제!

보… 보너스 문제?
으으으으
어!

9×□=24.3일 때
□의 값은?
휙
휙

곱셈식을 나눗셈식으로
바꾸어 계산하면
□의 값은 2.7이죠.
9×□=24.3
⇨ 24.3÷9=□, □=2.7

정답! 그리고 지금 바로
일어나면 점수를 더 주마.
부릅
집중!

똑똑한 하루 계산법

• 곱셈식 $9 \times ■ = 24.3$에서 ■의 값 구하기

$$9 \times ■ = 24.3$$

① 곱셈식을 나눗셈식으로 바꾸기

$$9 \times ■ = 24.3 \Rightarrow 24.3 \div 9 = ■$$

② ■의 값 구하기

$$24.3 \div 9 = ■,\ ■ = 2.7$$

곱셈식을 나눗셈식으로 바꾸어
■의 값을 구할 수 있습니다.

○× 퀴즈

계산이 바르면 ○에,
틀렸으면 ×에
○표 하세요.

$$3 \times ● = 9.21$$

$$\Rightarrow 9.21 \div 3 = ●,\ ● = 3.07$$

정답 ○에 ○표

똑똑한 계산 연습

▶정답 및 풀이 20쪽

제한 시간 5분

곱셈식에서 ■의 값을 구하세요.

❶ $5 \times ■ = 8$

$8 \div 5 = ■$, ■ = □

❷ $8 \times ■ = 12$

$12 \div 8 = ■$, ■ = □

❸ $4 \times ■ = 16.2$

$16.2 \div 4 = ■$, ■ = □

❹ $8 \times ■ = 56.4$

$56.4 \div 8 = ■$, ■ = □

❺ $2 \times ■ = 15.9$

$15.9 \div$ □ $= ■$, ■ = □

❻ $5 \times ■ = 5.7$

$5.7 \div$ □ $= ■$, ■ = □

❼ $12 \times ■ = 40.2$

□ $\div 12 = ■$, ■ = □

❽ $9 \times ■ = 12.6$

□ $\div 9 = ■$, ■ = □

기초 집중 연습

 ㉠에 알맞은 소수를 구하세요.

1-1 ㉠ $\times$ 2 $=$ 15

㉠ $=$ ☐

1-2 7 $\times$ ㉠ $=$ 35.14

㉠ $=$ ☐

1-3 ㉠ $\times$ 5 $=$ 65.4

㉠ $=$ ☐

1-4 8 $\times$ ㉠ $=$ 48.4

㉠ $=$ ☐

☐ 안에 알맞은 소수를 써넣으세요.

2-1 ☐ → $\times$ 9 → 4.68

2-2 ☐ → $\times$ 7 → 10.71

2-3 3 → $\times$ ☐ → 11.4

2-4 6 → $\times$ ☐ → 13.5

제한 시간 10분

생활 속 계산

무게가 똑같은 과일을 전자저울로 무게를 재었습니다. 과일 한 개의 무게를 구하세요.

3-1

🍎 × 4 = 1.12, 🍎 = ☐ kg

3-2

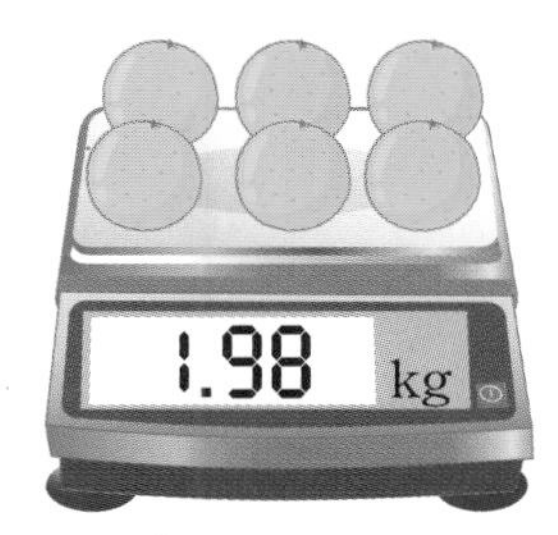

● × 6 = 1.98, ● = ☐ kg

문장 읽고 계산식 세우기

4-1

●와 8의 곱이 12.32일 때 ●의 값은?

식 ● × ☐ = 12.32

답

4-2

▲와 6의 곱이 18.24일 때 ▲의 값은?

식 ▲ × ☐ = 18.24

답

4-3

7과 ★의 곱이 14.63일 때 ★의 값은?

식 ☐ × ★ = 14.63

답

4-4

5와 ♥의 곱이 31.25일 때 ♥의 값은?

식 ☐ × ♥ = 31.25

답

누구나 100점 맞는 TEST

계산해 보세요.

① $6\overline{)7.5}$

② $8\overline{)9.2}$

③ $4\overline{)24.2}$

④ $5\overline{)20.3}$

⑤ $5\overline{)9.6}$

⑥ $5\overline{)12}$

⑦ $4\overline{)7.8}$

⑧ $5\overline{)18.4}$

⑨ $15\overline{)24}$

⑩ $6\overline{)15}$

▶정답 및 풀이 21쪽

제한 시간 10분

맞은 개수 / 20개

⑪ $7.3 \div 5$

⑫ $48.3 \div 6$

⑬ $12.3 \div 6$

⑭ $43 \div 50$

□ 안에 알맞은 수를 써넣으세요.

⑮ $\square \times 4 = 31$

⑯ $\square \times 6 = 6.3$

⑰ $\square \times 5 = 12.3$

⑱ $8 \times \square = 26$

⑲ $12 \times \square = 30$

⑳ $2 \times \square = 6.1$

제한 시간 안에 정확하게 모두 풀었다면
여러분은 진정한 **계산왕!**

3주 평가

창의 • 융합 • 코딩

호떡 만들기

다음을 읽고 호떡 1개를 만들려면 호떡용 잼믹스가 몇 g 필요한지 구하세요.

재료(호떡 4개 분량)

호떡 믹스 400 g, 호떡용 잼믹스 142 g

이스트 4 g, 따뜻한 물 218 mL

이 재료로 똑같은 호떡 4개를 만들 수 있습니다.

답 ________ g

▶정답 및 풀이 22쪽

누구의 몫이 더 클까?

엘리와 호야가 뽑은 수 카드를 보고 나눗셈의 몫을 구하여 게임에서 이긴 사람을 알아보세요.

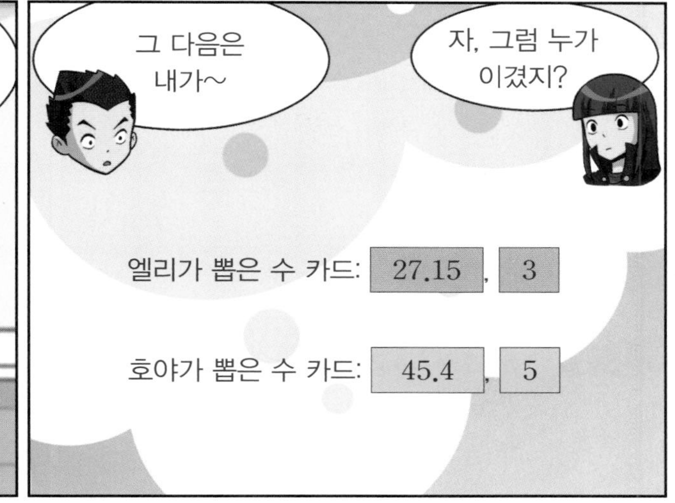

엘리  27.15÷☐=☐ 

답 ______

호야  45.4÷☐=☐

답 ______

엘리와 호야 중 게임에서 이긴 사람은 ☐입니다.

창의 · 융합 · 코딩

보기 와 같이 출발 에서 화살표 방향으로 도미노의 점의 수만큼 간 곳의 수를 나누어지는 수로 하여 나눗셈식을 완성하고 계산해 보세요.

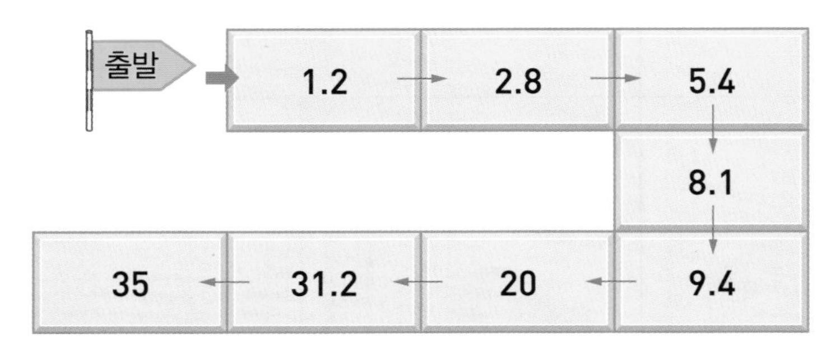

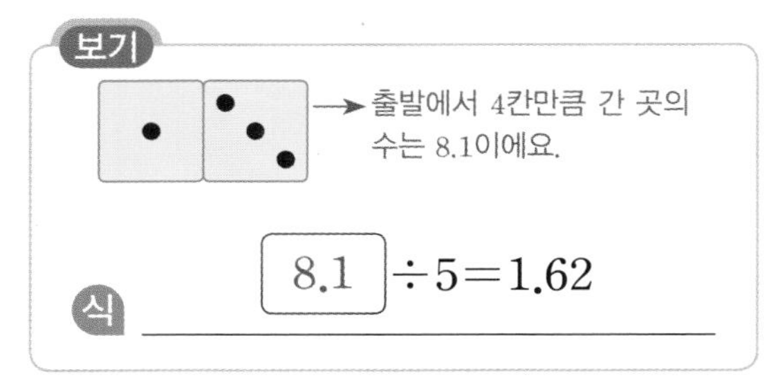

보기
출발에서 4칸만큼 간 곳의 수는 8.1이에요.
식 8.1 ÷5=1.62

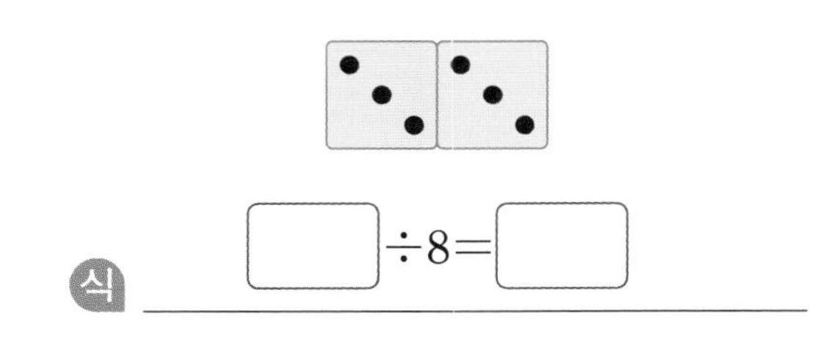

식 $\square \div 8 = \square$

순금 82.5 g으로 똑같은 반지 22개를 만들었습니다. 반지 1개를 만드는 데 사용한 순금은 몇 g일까요?

금은 보통 구리, 은 등을 섞어 합금으로 사용하는데 순금이 어느 정도 들어갔는지에 따라 14K, 18K, 20K, 24K로 나뉘어요.

답 ______ g

▶정답 및 풀이 22쪽

발효 음식인 요구르트가 9.2 L 있습니다. 8개의 병에 똑같이 나누어 담으면 한 병에 몇 L씩 담아야 할까요?

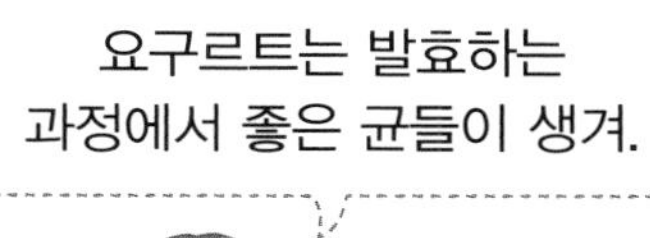
요구르트는 발효하는
과정에서 좋은 균들이 생겨.

아! 유산균 말이지?
요구르트에 과일을 함께
넣어 먹으면 더 맛있게
먹을 수 있어.

답 ______________ L

코딩 6

(　　) 안의 수를 주어진 방법으로 계산한 결과를 [　　] 안에 써넣으세요.

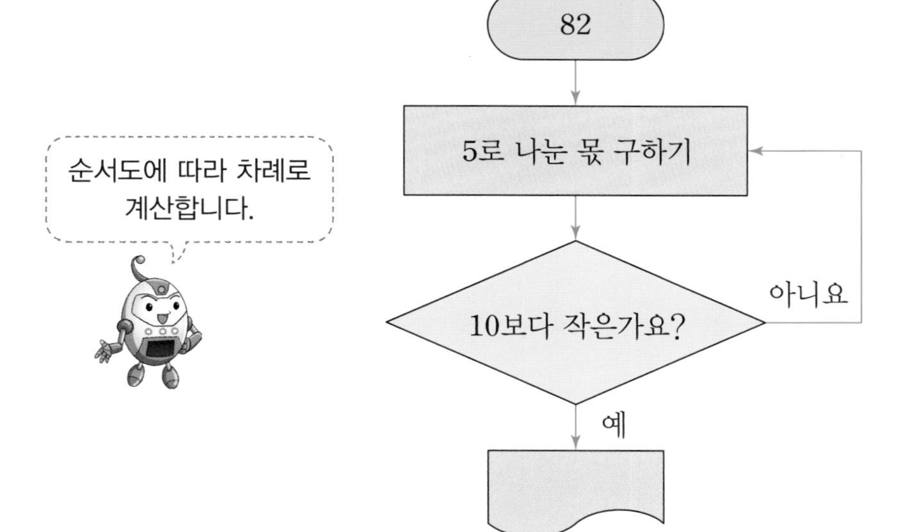
82
5로 나눈 몫 구하기
10보다 작은가요?
아니요
예
순서도에 따라 차례로
계산합니다.

계산 결과가 10보다 크면
계산을 반복해야 해.

창의·융합·코딩

 선영이는 몸의 일부로 여러 가지 길이를 재었습니다. 물음에 답하세요.

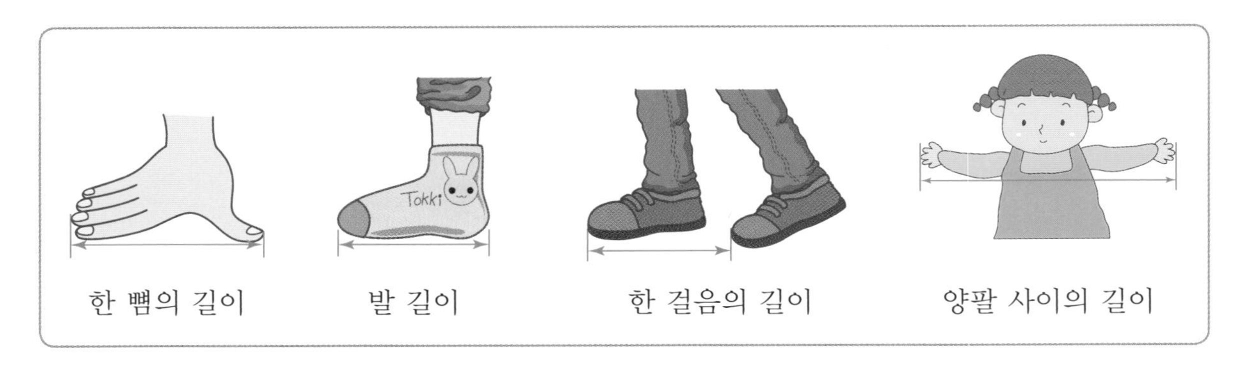

책장의 높이	장식장의 가로
186 cm	168.4 cm

선영이가 뼘으로 책장의 높이를 재었더니 12뼘이었습니다. 선영이의 한 뼘의 길이는 몇 cm일까요?

책장의 높이를 재어 12뼘이었으니 186÷12를 계산하여 선영이의 한 뼘의 길이를 구할 수 있습니다.

답 ______________ cm

창의 8 선영이가 장식장의 가로를 재었더니 발 길이로 8번이었습니다. 선영이의 발 길이는 몇 cm일까요?

답 ______________ cm

▶정답 및 풀이 22쪽

창의 9 수 카드 4장이 들어 있는 주머니에서 3장을 꺼내어 한 번씩만 사용하여 몫이 가장 큰 나눗셈식 (소수 한 자리 수)÷(자연수)를 만들고 계산해 보세요.

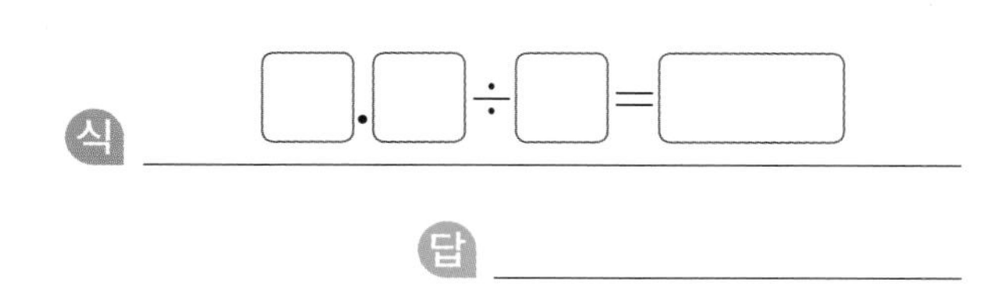

식 ☐.☐÷☐=☐

답 ______

창의 10 두 사람의 대화를 읽고 승우가 생각한 수를 쓰세요.

똑똑톡
승우
연아야, 내가 생각한 소수를 맞혀 볼래?
응! 네가 생각한 소수에 7을 곱하면 얼마야?
연아
승우
내가 생각한 소수와 7을 곱하면 14.490야.
승우, 네가 생각한 수는…….
연아

답 ______

3주 특강

4주 비와 비율

네?! 라라가
사라졌다고요!!

일어나 보니 모닥불은
꺼져있고 라라는
보이지 않았어.

화장실에 간 것
아닐까요?
그런가?

선생님! 여기 몬스터의
흔적이 있어요!
!!

아니, 이건!!

선생님!
왜 그러세요?
큰일이야!

아주 위험한 몬스터가
나타났다.

사람들의 정신을 홀려 꿈을
먹는 몬스터! 그 이름은
반디팽이 몬스터!
파
지
직

겉보기에는 귀엽게
보이지만 알고 보면 아주
무서운 몬스터야!
아......

이번에 배울 내용을 알아볼까요? 1

- 1일 비 알아보기
- 2일 비율을 분수나 소수로 나타내기
- 3일 비율이 사용되는 경우
- 4일 백분율 알아보기
- 5일 백분율이 사용되는 경우

라라가 위험하잖아요! 어서 몬스터를 잡으러 가요!
서둘러요! 선생님!

성급히 나섰다간 우리도 위험해져.

몬스터를 잡기 위해선 먼저 비율에 대해 알아야 해!

기준량에 대한 비교하는 양의 크기를 비율이라고 해요.
응! 그리고 하나 더!

백분율도 알아야 한단다.
백분율은 또 뭐예요?

기준량을 100으로 할 때의 비율을 말해.
?

예를 들어 호야가 10마리의 몬스터를 사냥했는데 3마리의 몬스터를 잡는 데 성공했다면

호야의 몬스터 사냥 성공률을 백분율로 나타내면 30 %지.

선생님! 제 사냥 실력이 그 정도밖에 안 된다는 말씀인가요!
진짜 네 실력은 아마 10 %도 안될 거야.

이번에 배울 내용을 알아볼까요? 2

5-1 약분

분모와 분자를 공약수로 나누어 간단한 분수로 만드는 것을 약분한다고 해요.

분모와 분자를 최대공약수로 나누면 기약분수로 나타낼 수 있어요.

분수를 기약분수로 나타내려고 합니다. □ 안에 알맞은 수를 써넣으세요.

1-1 $\frac{8}{12}=\frac{8\div 4}{12\div \square}=\frac{\square}{\square}$

1-2 $\frac{16}{40}=\frac{16\div \square}{40\div 8}=\frac{\square}{\square}$

분수를 약분하여 기약분수로 나타내어 보세요.

(기약분수 → 분모와 분자의 공약수가 1뿐인 분수)

2-1 $\frac{8}{14}=\frac{\square}{\square}$

2-2 $\frac{42}{60}=\frac{\square}{\square}$

2-3 $\frac{18}{72}=\frac{\square}{\square}$

5-1 통분

분수의 분모를 같게 하는 것을 통분한다고 해요.

통분할 때 분모와 분자에 같은 수를 곱해야 해요.

분모의 곱을 공통분모로 하여 통분해 보세요.

3-1 $\left(\frac{2}{10}, \frac{7}{8}\right) \Rightarrow (\quad , \quad)$

3-2 $\left(\frac{7}{10}, \frac{3}{4}\right) \Rightarrow (\quad , \quad)$

분모의 최소공배수를 공통분모로 하여 통분해 보세요.

4-1 $\left(\frac{7}{10}, \frac{11}{12}\right) \Rightarrow (\quad , \quad)$

4-2 $\left(\frac{5}{24}, \frac{7}{32}\right) \Rightarrow (\quad , \quad)$

비 알아보기 ①

이쪽이다.

선생님! 그 몬스터가 아무리 위험해도 우린 4명인데 쉽게 잡을 수 있지 않을까요?

아니! 그 몬스터는 혼자가 아니야! 항상 주변에는 수많은 몬스터가 함께 한단다.

VS
사람 수와 몬스터 수의 비
⇨ 4 : 7

수가 적은 우리가 불리하단 말이군요.
최소 7마리일 거야.

어쩌면 그보다 훨씬 많을지도 몰라.

똑똑한 하루 계산법

• **비 알아보기**

비: 두 수를 나눗셈으로 비교하기 위해 기호 :를 사용하여 나타낸 것

예 두 수 4와 7을 비교할 때 4 : 7이라고 씁니다.

쓰기	읽기
4 : 7	4 대 7 4와 7의 비 4의 7에 대한 비 7에 대한 4의 비

OX 퀴즈

바르게 읽은 것에 ○표, 잘못 읽은 것에 ×표 하세요.

3 : 5

3 대 5 ❶
3과 5의 비 ❷
5의 3에 대한 비 ❸
5에 대한 3의 비 ❹

정답 ❶ ○ ❷ ○ ❸ × ❹ ○

똑똑한 계산 연습

▶정답 및 풀이 23쪽

제한 시간 2분

 그림을 보고 ▢ 안에 알맞은 수를 써넣으세요.

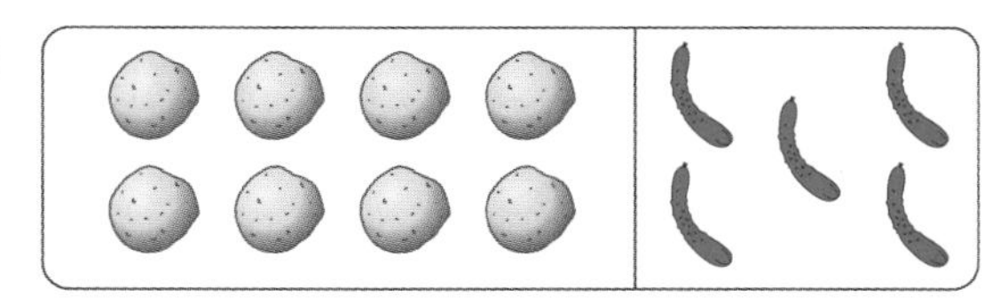

감자 수와 오이 수의 비

⇨ ▢ : ▢

사과 수의 감 수에 대한 비

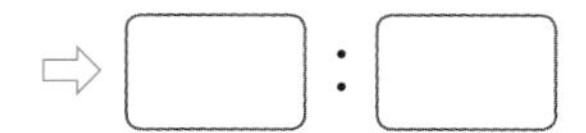

⇨ ▢ : ▢

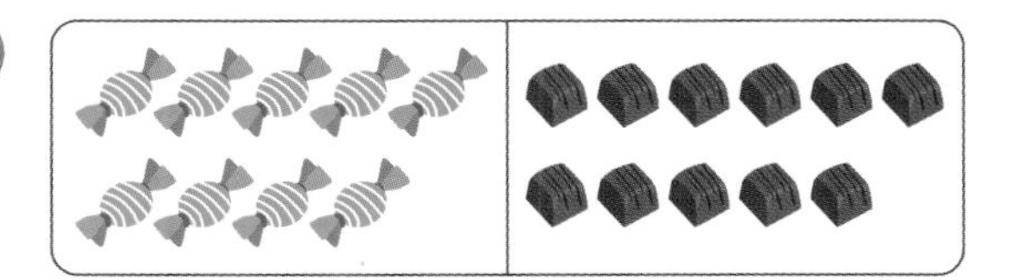

초콜릿 수에 대한 사탕 수의 비

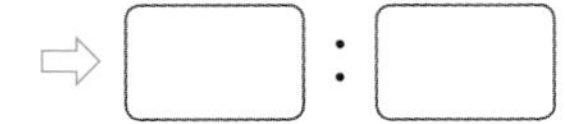

⇨ ▢ : ▢

4

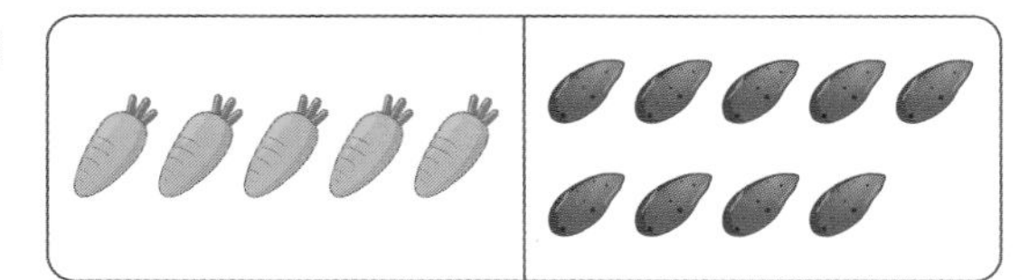

고구마 수에 대한 당근 수의 비

⇨ ▢ : ▢

5

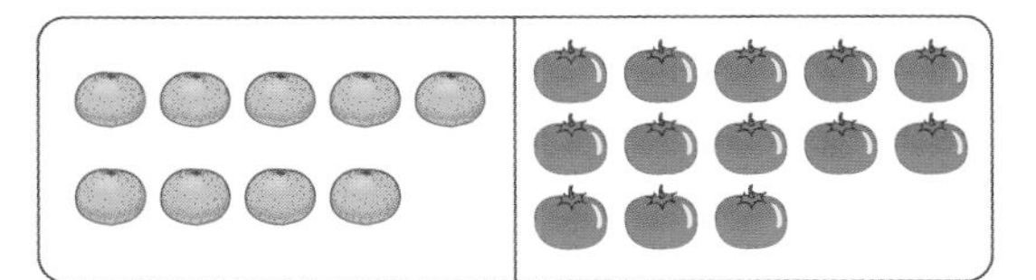

귤 수에 대한 토마토 수의 비

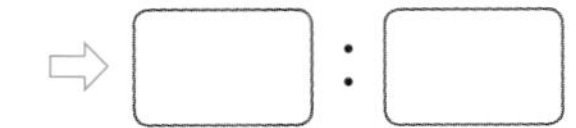

⇨ ▢ : ▢

6

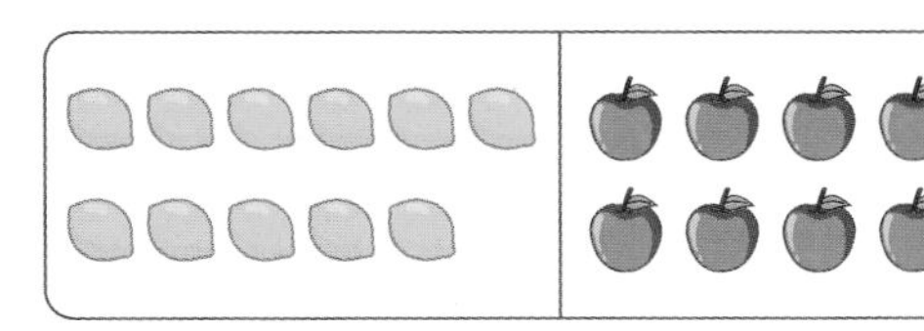

사과 수와 레몬 수의 비

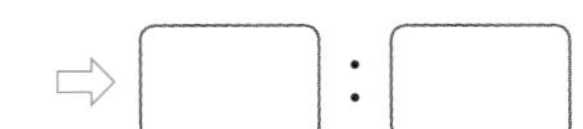

⇨ ▢ : ▢

7

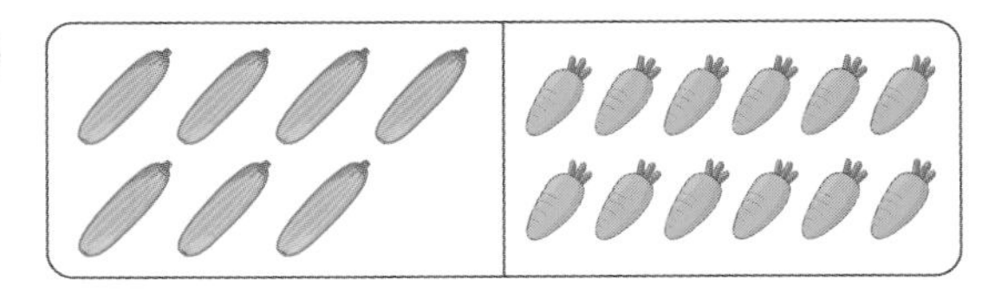

호박 수에 대한 당근 수의 비

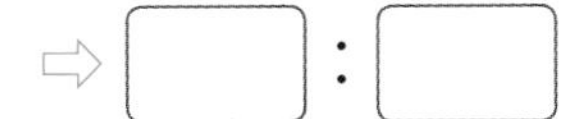

⇨ ▢ : ▢

8

사탕 수와 아이스크림 수의 비

⇨ ▢ : ▢

4주 1일

1 일

비 알아보기 ②

어기적
어기적

!!
턱
쾅

여…여기는 어디지?
왜 내가 여기 있는 거야?
휙
휙

저건 뭐지?
4 : 7에서 비교하는 양과 기준량을 알아보세요.
꿈틀

비교하는양, 기준량?
4 : 7에서 기호 :의 오른쪽에 있는 7은 기준량이고 왼쪽에 있는 4는 비교하는 양입니다.

헉,
저 불빛들은 뭐야!!
와글
와글

똑똑한 하루 계산법

- **기준량, 비교하는 양**

  비 4 : 7에서 기호 :의 오른쪽에 있는 **7**은 **기준량**이고, 왼쪽에 있는 4는 비교하는 양입니다.

  4 : 7

  비교하는 양 ← 4 　 7 → **기준량**

4의 7에 대한 비 또는 7에 대한 4의 비라고 읽어.

■에 대한 ~ 이라고 읽을 때 ■가 기준량이야.

OX 퀴즈

설명이 바르면 ○에, 틀리면 ✕에 ○표 하세요.

2 : 3에서 기준량은 기호 :의 오른쪽에 있는 3입니다.

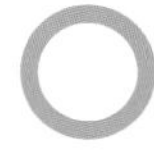 

정답 ○에 ○표

똑똑한 계산 연습

▶정답 및 풀이 23쪽

제한 시간 3분

기준량에는 '기', 비교하는 양에는 '비'를 ▢ 안에 써넣으세요.

1. 딸기 수와 감 수의 비
▢ ▢

2. 딸기 수에 대한 감 수의 비
▢ ▢

3. 감자 수와 호박 수의 비
▢ ▢

4. 감자 수의 호박 수에 대한 비
▢ ▢

5. 오이 수에 대한 당근 수의 비
▢ ▢

6. 오이 수와 당근 수의 비
▢ ▢

기준량과 비교하는 양을 각각 찾아 쓰세요.

7.

비	기준량	비교하는 양
7에 대한 8의 비		

8.

비	기준량	비교하는 양
8과 5의 비		

9.

비	기준량	비교하는 양
2의 7에 대한 비		

10.

비	기준량	비교하는 양
5에 대한 9의 비		

기초 집중 연습

보기 와 같이 비를 4가지 방법으로 읽어 보세요.

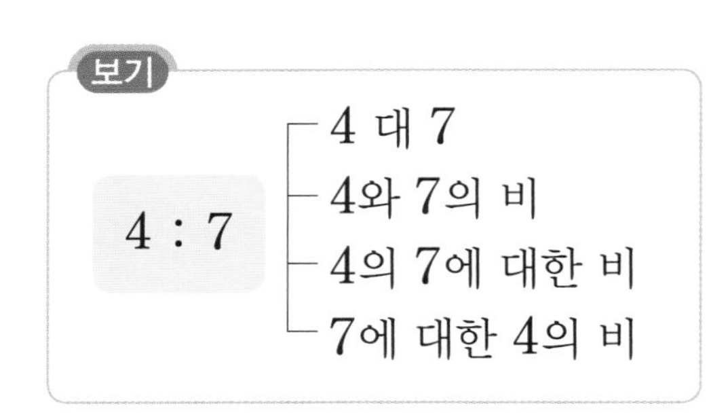

1-1

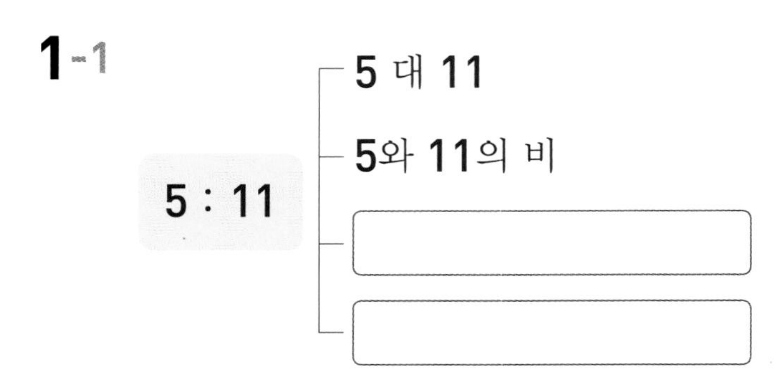

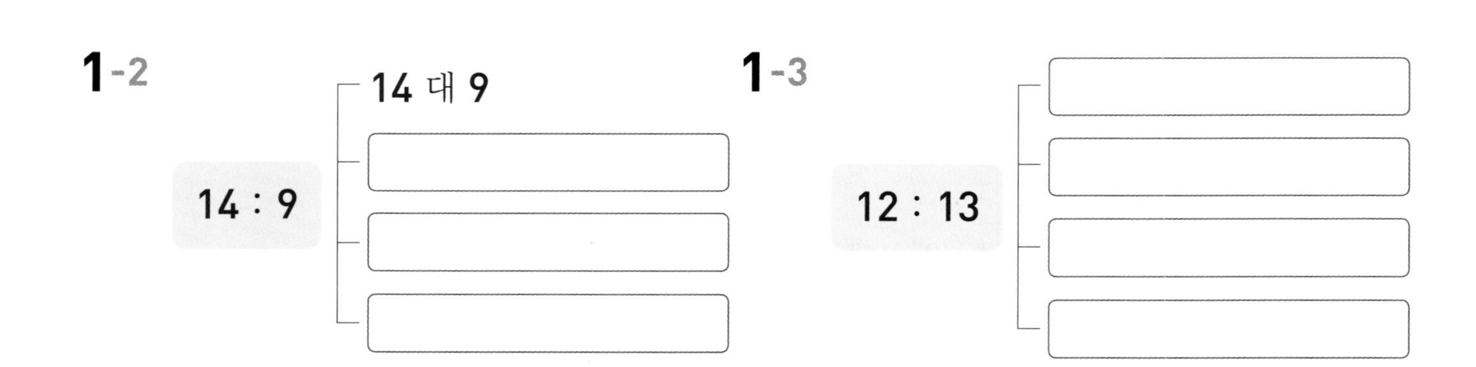

□ 안에 알맞은 수를 써넣으세요.

2-1 6과 7의 비

⇨ □ : □

2-2

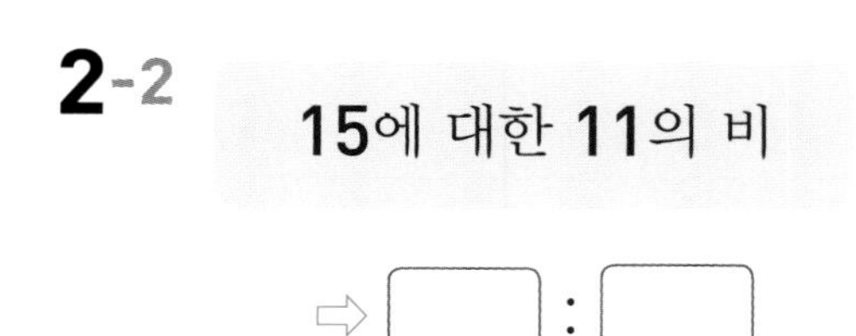

⇨ □ : □

2-3 6 대 13

⇨ □ : □

2-4

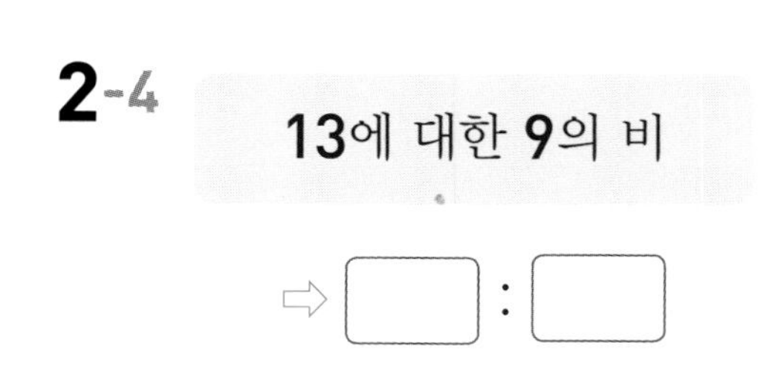

⇨ □ : □

2-5 18에 대한 17의 비

⇨ □ : □

2-6 9와 17의 비

⇨ □ : □

제한 시간 6분

생활 속 문제

친구들이 각각 그린 그림을 가로와 세로의 비가 같은 액자에 넣으려고 합니다. 그린 그림에 맞는 액자를 찾아 기호를 쓰세요.

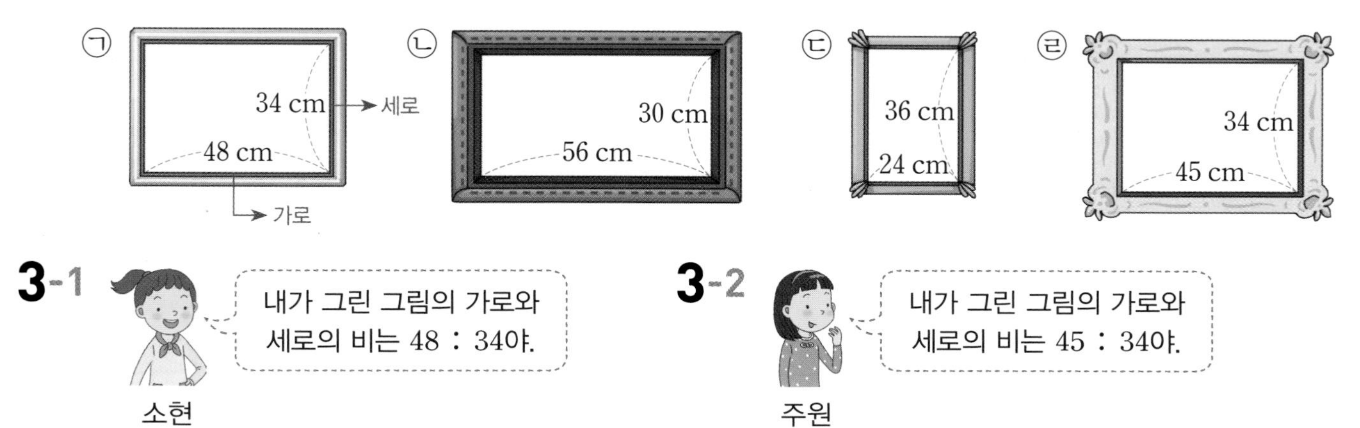

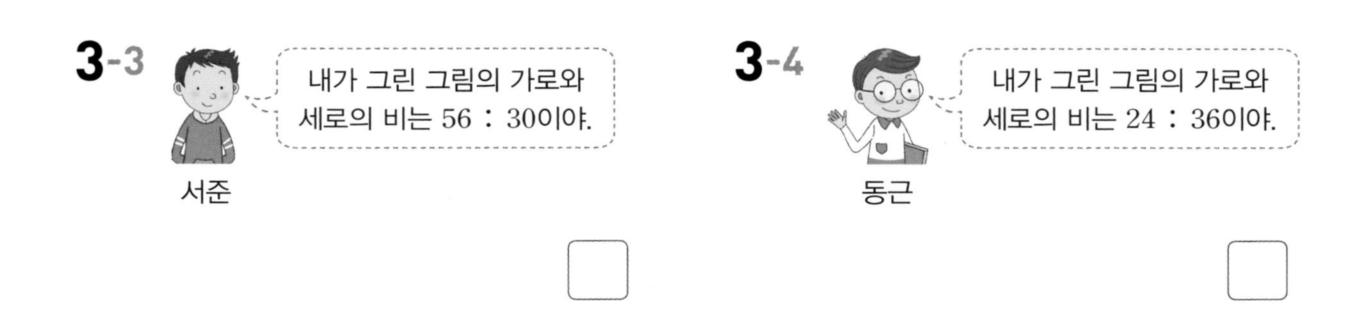

3-1
내가 그린 그림의 가로와 세로의 비는 48 : 34야.
소현
3-2
내가 그린 그림의 가로와 세로의 비는 45 : 34야.
주원

3-3 내가 그린 그림의 가로와 세로의 비는 56 : 30이야.

서준

3-4 내가 그린 그림의 가로와 세로의 비는 24 : 36이야.

동근

문장 읽고 문제 해결하기

4-1 남학생 17명, 여학생 13명일 때 여학생 수에 대한 남학생 수의 비는?

□ : □

4-2 남학생 12명, 여학생 11명일 때 남학생 수에 대한 여학생 수의 비는?

□ : □

비율을 분수나 소수로 나타내기 ①

몬스터들이 너무 많아! 이 사실을 선생님과 친구들에게 알려야지.

가로에 대한 세로의 비가 2 : 5인 직사각형 모양 쪽지에 소식을 전달해야겠어!

근데 2 : 5의 비율을 분수로 어떻게 나타내지?
2 : 5 ⇨ 2/5

이 쪽지를 선생님과 친구들에게 전해줘!
둥실

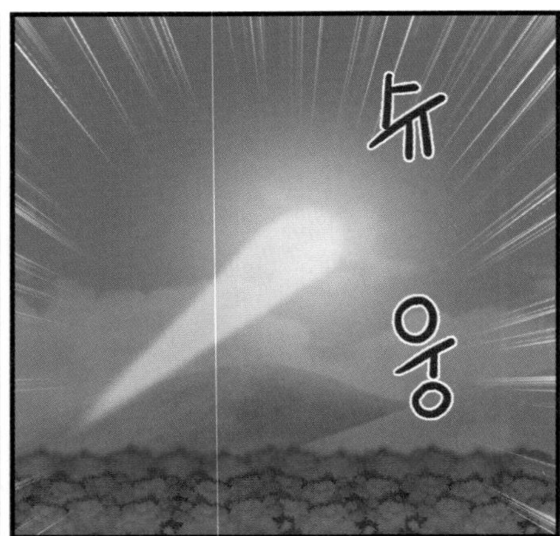

똑똑한 하루 계산법

• **비율을 분수로 나타내기**

예 2 : 5의 비율을 분수로 나타내기

기준량

$2 : 5 \Rightarrow \frac{2}{5}$

비교하는 양

기준량에 대한 비교하는 양의 크기를 비율이라고 합니다.

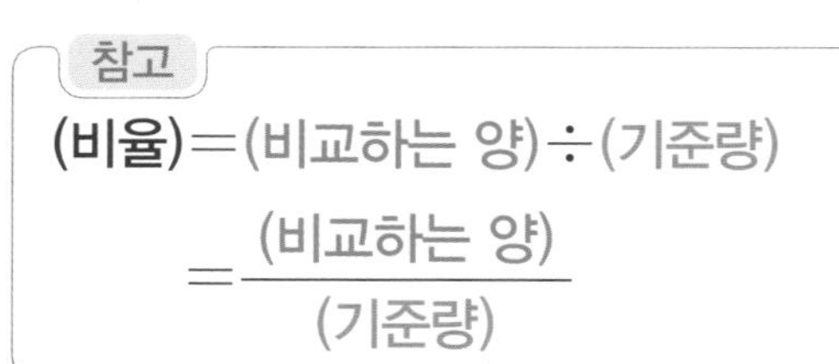

참고

(비율)=(비교하는 양)÷(기준량)

$=\frac{(\text{비교하는 양})}{(\text{기준량})}$

○× 퀴즈

비율을 분수로 나타낸 것이 바르면 ○에, 틀리면 ×에 ○표 하세요.

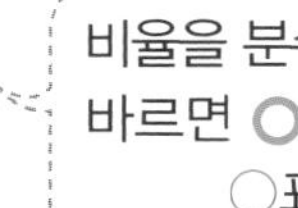

3 : 5

$\Rightarrow \frac{5}{3}$

○ ×

정답 ×에 ○표

똑똑한 계산 연습

▶정답 및 풀이 24쪽

제한 시간 | 3분

비율을 분수로 나타내세요.

❶ 3 : 8

⇨ □

❷ 7 : 29

⇨ □

비율을 분수로 나타낼 때 기준량은 분모, 비교하는 양은 분자가 돼요.

❸ 9에 대한 5의 비

⇨ □

❹ 12에 대한 5의 비

⇨ 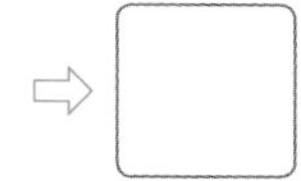

❺ 6의 11에 대한 비

⇨ 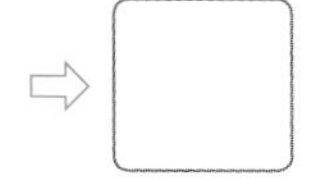

❻ 7의 15에 대한 비

⇨ 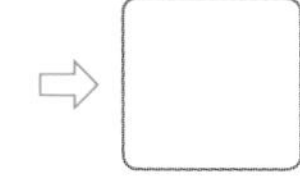

❼ 8의 17에 대한 비

⇨ 

❽ 8의 9에 대한 비

⇨ 

❾ 6의 13에 대한 비

⇨ 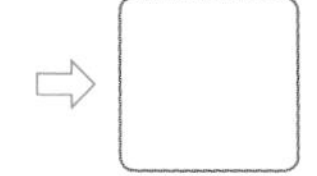

❿ 13의 15에 대한 비

⇨ 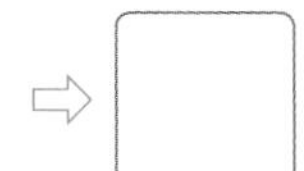

⓫ 14와 17의 비

⇨ 

⓬ 15와 19의 비

⇨ 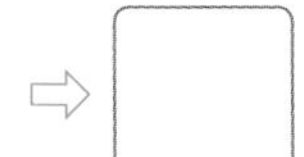

⓭ 13과 22의 비

⇨ 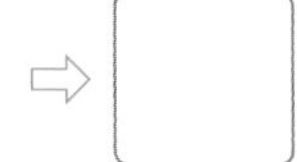

비율을 분수나 소수로 나타내기 ②

어느 길로 갔을까요?
알아맞혀 봅시다~.

선생님, 라라가
쪽지를 보냈어요.

여기 적힌 메시지를 보려면
2 : 5의 비율을 소수로
나타내래요.

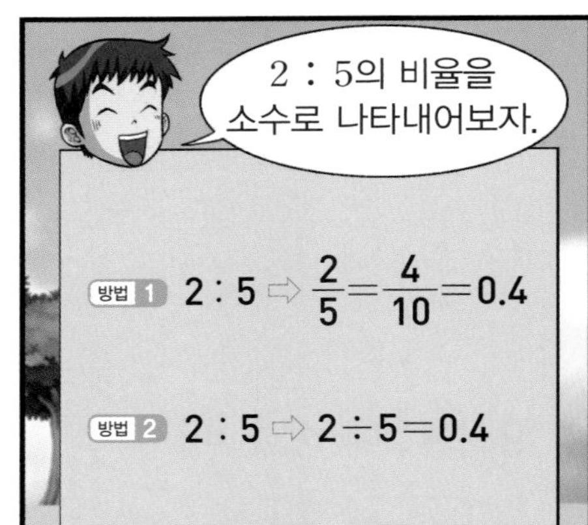
2 : 5의 비율을
소수로 나타내어보자.
방법 1 2 : 5 ⇨ 2/5 = 4/10 = 0.4
방법 2 2 : 5 ⇨ 2 ÷ 5 = 0.4

지금 이곤에 아주 많은
몬스터가 있어! 이곳으로
와줘! 친구들!
이곳의 위치는 ...

저쪽이다!
다
다 다 다 다
얘들아, 같이 가.

똑똑한 하루 계산법

• **비율을 소수로 나타내기**

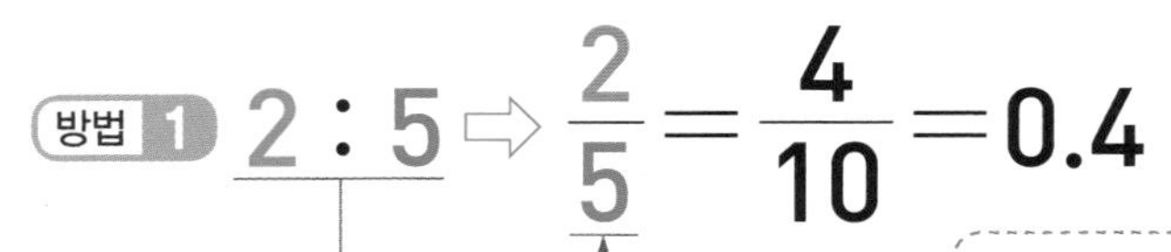

방법 1 $2:5 \Rightarrow \frac{2}{5} = \frac{4}{10} = 0.4$

비율을 분수로 나타낸 후 소수로 바꿉니다.

비율을 분수로 나타내고 분모를 10 또는 100으로 나타내어 소수로 바꿀 수 있어.

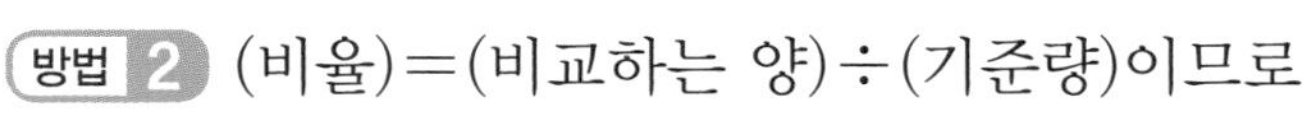

방법 2 (비율)=(비교하는 양)÷(기준량)이므로

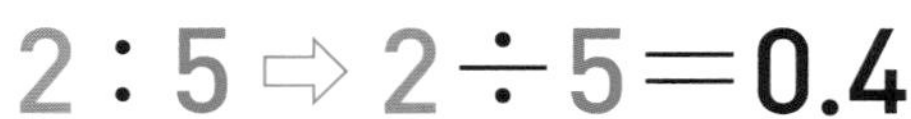

$2:5 \Rightarrow 2 \div 5 = 0.4$

OX 퀴즈

비율을 소수로 나타낸 것이 바르면 ○에, 틀리면 ×에 ○표 하세요.

$3:5 \Rightarrow \frac{3}{5} = 0.15$

정답 ×에 ○표

똑똑한 계산 연습

▶정답 및 풀이 24쪽

제한 시간 3분

비율을 소수로 나타내세요.

❶ 2 대 10

⇨ ☐

❷ 53과 100의 비

⇨ ☐

비율을 소수로 나타내는 방법

방법 1 분수로 나타낸 후 분모를 10, 100, ⋯으로 바꾼 후 소수로 바꿔요.

방법 2 분수로 나타낸 후 (분자)÷(분모)를 해요.

❸ 10에 대한 9의 비

⇨ ☐

❹ 13 대 20

⇨ ☐

❺ 3의 10에 대한 비

⇨ ☐

❻ 13의 100에 대한 비

⇨ ☐

❼ 23대 50

⇨ ☐

❽ 13과 5의 비

⇨ ☐

❾ 50에 대한 27의 비

⇨ ☐

❿ 25에 대한 7의 비

⇨ ☐

⓫ 4와 25의 비

⇨ ☐

⓬ 7 : 8

⇨ ☐

⓭ 9 대 8

⇨ ☐

2일 기초 집중 연습

빈칸에 알맞은 분수를 써넣으세요.

1-1

비	비율
17과 25의 비	

1-2

비	비율
14와 35의 비	

1-3

비	비율
25에 대한 18의 비	

1-4

비	비율
40의 75에 대한 비	

빈칸에 알맞은 소수를 써넣으세요.

2-1

비	비율
50에 대한 35의 비	

2-2

비	비율
20에 대한 17의 비	

2-3

비	비율
45의 100에 대한 비	

2-4

비	비율
24의 50에 대한 비	

제한 시간 10분

생활 속 계산

전체 넓이에 대한 색칠한 부분의 비율을 기약분수로 나타내세요.

3-1

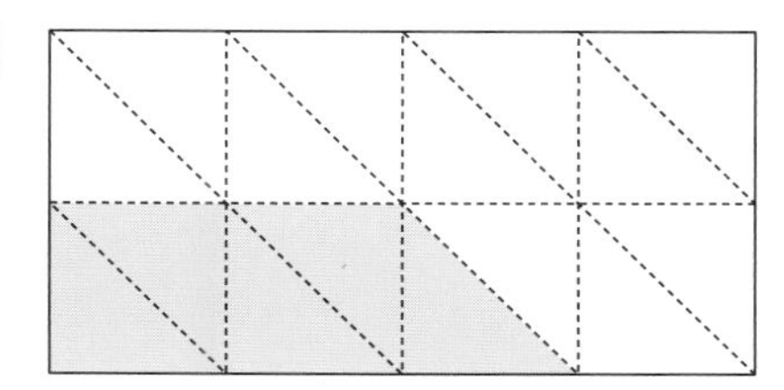

3-2

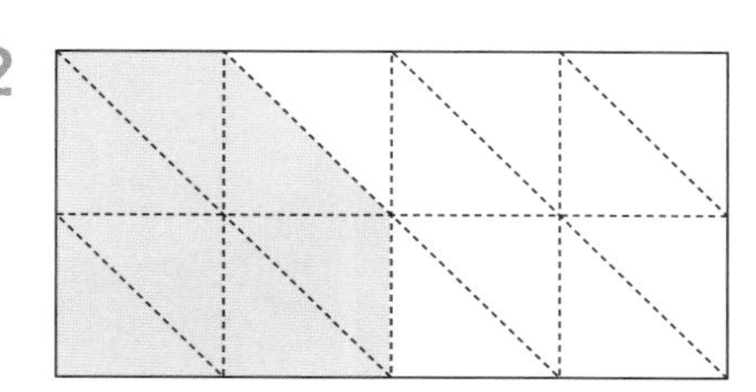

3-3

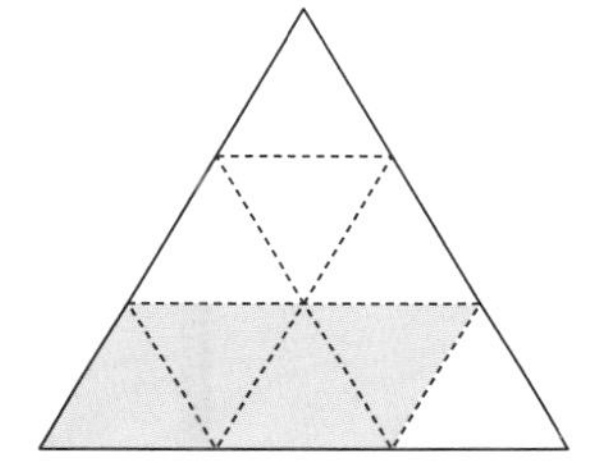

3-4

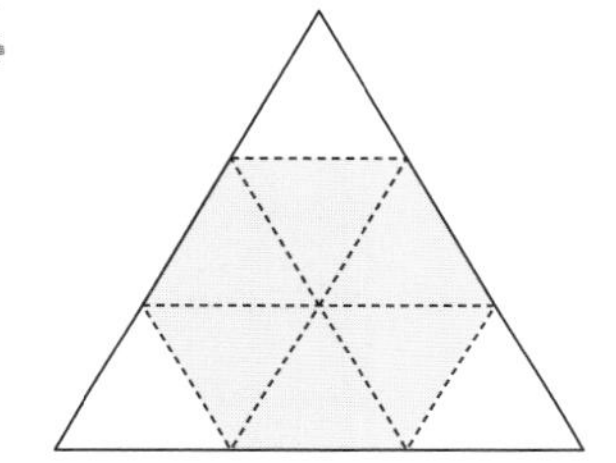

문장 읽고 문제 해결하기

4-1

상어 6마리, 거북 15마리일 때 거북 수에 대한 상어 수의 비율을 소수로 나타내면?

6 : 15

4-2

상어 7마리, 거북 20마리일 때 거북 수에 대한 상어 수의 비율을 소수로 나타내면?

□ : □

⇨ □ ÷ □ = □

3 일

비율이 사용되는 경우 ①

얘들아, 잠깐만!
이렇게 뛰어서 그곳에
언제 도착할지 몰라.
타 앗

반디팽이의
마법으로 꽤 멀리
이동했을 거야!
그럼 어쩌죠?

우리도 마법으로 이동한다.
200km
전체 거리는 200 km,
이동 시간은 4시간

걸린 시간에 대한 간 거리의
비율을 구하고

200 km를 가는 데 4시간이 걸렸을 때 걸린 시간에 대한 간 거리의 비율

⇨ $\frac{200}{4}(=50)$

이동 마법!
슈 슈 슈 슈

라라가 있는 곳으로
순간 이동!!
번 쩍

똑똑한 하루 계산법

• **걸린 시간에 대한 간 거리의 비율**

$$(\text{비율})=\frac{(\text{간 거리})}{(\text{걸린 시간})}$$

예 200 km를 가는 데 4시간이 걸렸을 때 걸린 시간에 대한 간 거리의 비율

(걸린 시간 → 기준량, 간 거리 → 비교하는 양)

⇨ $\frac{200}{4}(=50)$

기준량은 걸린 시간이고
비교하는 양은 간 거리입니다.

OX 퀴즈

걸린 시간에 대한 간 거리의 비율이 바르면 ○에, 틀리면 ×에 ○표 하세요.

100 km를 가는 데
4시간 걸렸습니다.

⇨ $\frac{4}{100}\left(=\frac{1}{25}\right)$

정답 ×에 ○표

똑똑한 계산 연습

제한 시간 3분

걸린 시간에 대한 간 거리의 비율을 구하세요.

1

간 거리(km)	걸린 시간(시간)
540	2

2

간 거리(km)	걸린 시간(시간)
440	2

3

간 거리(km)	걸린 시간(시간)
260	4

4

간 거리(km)	걸린 시간(시간)
960	16

5

간 거리(km)	걸린 시간(시간)
480	12

6

간 거리(km)	걸린 시간(시간)
573	3

7

간 거리(km)	걸린 시간(시간)
360	15

8

간 거리(km)	걸린 시간(시간)
975	15

9

간 거리(km)	걸린 시간(시간)
432	24

10

간 거리(km)	걸린 시간(시간)
450	18

3일 비율이 사용되는 경우 ②

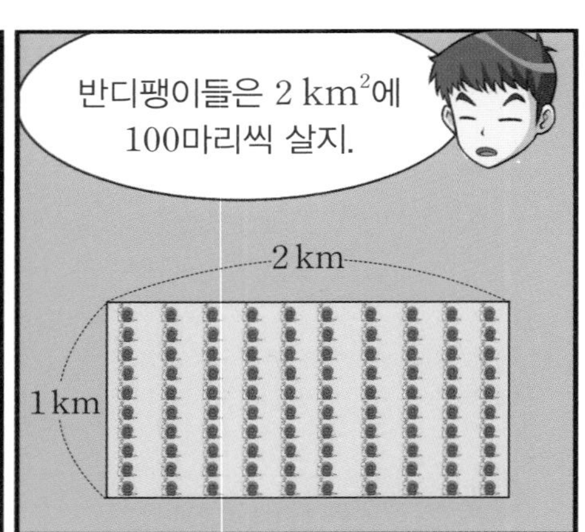

비율을 구해볼까?

2 km^2에 사는 몬스터가 **100**마리일 때 넓이에 대한 몬스터 수의 비율

⇨ $\frac{100}{2}$(=**50**)

똑똑한 하루 계산법

- **넓이에 대한 인구의 비율**

$$(\text{비율})=\frac{(\text{인구})}{(\text{넓이})}$$

예) 넓이가 2 km^2인 마을에 인구가 **100명**일 때 넓이에 대한 인구의 비율
(넓이 → 기준량, 인구 → 비교하는 양)

⇨ $\frac{100}{2}$(=**50**)

기준량은 넓이이고 비교하는 양은 인구입니다.

OX 퀴즈

넓이에 대한 인구의 비율이 바르면 ○에, 틀리면 ×에 ○표 하세요.

넓이: 40 km^2
인구: 100000명
⇨ $\frac{100000}{40}$(=2500)

정답 ○에 ○표

똑똑한 계산 연습

▶정답 및 풀이 25쪽

제한 시간 3분

넓이에 대한 인구의 비율을 구하여 자연수로 나타내세요.

1

넓이(km^2)	인구(명)
32	896

2

넓이(km^2)	인구(명)
12	6240

3

넓이(km^2)	인구(명)
25	4200

4

넓이(km^2)	인구(명)
160	12800

5

넓이(km^2)	인구(명)
142	17750

6

넓이(km^2)	인구(명)
250	22500

7

넓이(km^2)	인구(명)
180	23400

8

넓이(km^2)	인구(명)
210	31500

9

넓이(km^2)	인구(명)
150	21000

10

넓이(km^2)	인구(명)
240	18000

3일

기초 집중 연습

걸린 시간에 대한 간 거리의 비율을 구하여 자연수로 나타내세요.

1-1

간 거리: 2790 km
걸린 시간: 6시간

1-2

간 거리: 300 km
걸린 시간: 2시간

흰색 물감 양에 대한 검은색 물감 양의 비율을 구하여 소수로 나타내세요.

2-1

흰색 물감: 100 mL
검은색 물감: 4 mL

2-2

흰색 물감: 500 mL
검은색 물감: 80 mL

물 양에 대한 포도 원액 양의 비율을 구하여 소수로 나타내세요.

3-1

물: 180 mL
포도 원액: 45 mL

3-2

물: 200 mL
포도 원액: 60 mL

제한 시간 10분

생활 속 계산

지우가 조사한 다른 나라 도시의 인구와 넓이입니다. 각 도시의 넓이에 대한 인구의 비율을 구하여 자연수로 나타내세요.

도시	인구(명)	넓이(km^2)
뉴욕	8400000	1200
시드니	4680000	12000
런던	9280000	1600

4-1 뉴욕 ⇨ □

4-2 시드니 ⇨ □

4-3 런던 ⇨ □

문장 읽고 문제 해결하기

5-1 80시간 동안 160 km를 갔을 때 걸린 시간에 대한 간 거리의 비율은?

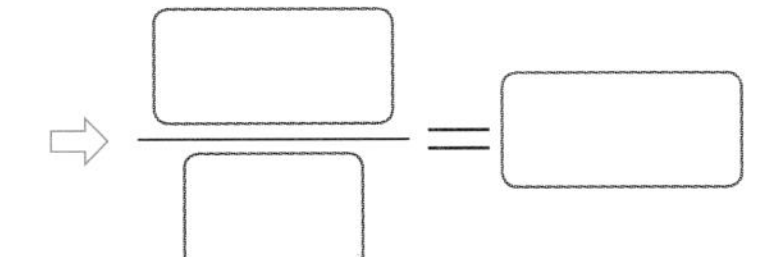

5-2 96시간 동안 480 km를 갔을 때 걸린 시간에 대한 간 거리의 비율은?

⇨ $\frac{\square}{\square}$ = □

5-3 4시간 동안 300 km를 갔을 때 걸린 시간에 대한 간 거리의 비율은?

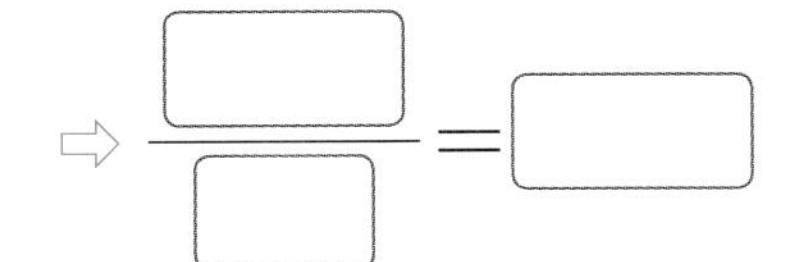

5-4 3시간 동안 1500 km를 갔을 때 걸린 시간에 대한 간 거리의 비율은?

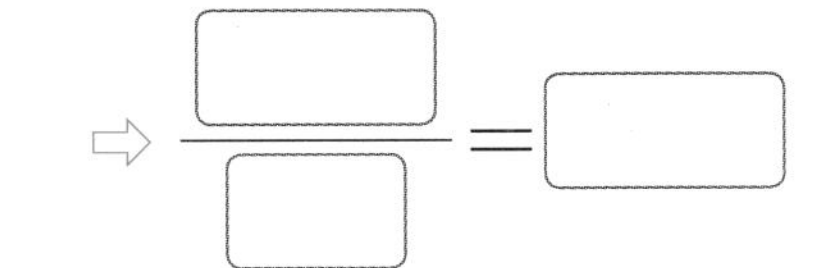

4일 백분율 알아보기 ①

• $\frac{1}{2}$을 백분율로 나타내기

$\frac{1}{2} \times 100 = 50 \Rightarrow 50\ \%$

각 팀은 50 %의 몬스터를 책임진다!
50 %요?

똑똑한 하루 계산법

• **비율을 백분율로 나타내기**

예 $\frac{1}{2}$을 백분율로 나타내기

$$\frac{1}{2} \times 100 = 50 \Rightarrow 50\ \%$$

비율에 100을 곱해서 나온 값에 %를 붙여요.

예 0.5를 백분율로 나타내기

$$0.5 \times 100 = 50 \Rightarrow 50\ \%$$

백분율은 기준량을 100으로 할 때의 비율입니다. 기호는 %를 쓰고 퍼센트라고 읽습니다.

OX 퀴즈

비율을 백분율로 바르게 나타냈으면 ○에, 틀렸으면 ×에 ○표 하세요.

비율: $\frac{1}{4}$

백분율: $\frac{1}{4} \times 10 = 2.5\ (\%)$

정답 ×에 ○표

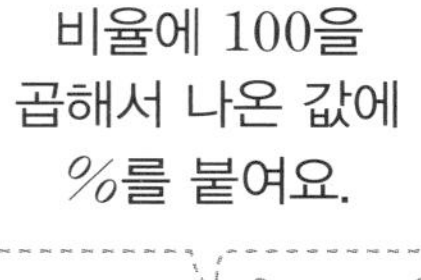

똑똑한 계산 연습

▶정답 및 풀이 26쪽

제한 시간 3분

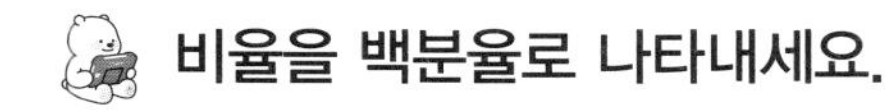

비율을 백분율로 나타내세요.

❶ $\frac{3}{4}$

⇨ $\frac{3}{4} \times 100 = \square$ (%)

❷ $\frac{9}{10}$

⇨ $\frac{9}{10} \times 100 = \square$ (%)

❸ $\frac{8}{25}$

⇨ $\frac{8}{25} \times 100 = \square$ (%)

❹ $\frac{17}{20}$

⇨ $\frac{17}{20} \times 100 = \square$ (%)

❺ $\frac{37}{50}$

⇨ $\frac{37}{50} \times 100 = \square$ (%)

❻ $\frac{9}{25}$

⇨ $\frac{9}{25} \times 100 = \square$ (%)

❼ 0.3

⇨ $0.3 \times 100 = \square$ (%)

❽ 0.48

⇨ $0.48 \times 100 = \square$ (%)

❾ 0.17

⇨ $0.17 \times 100 = \square$ (%)

❿ 0.06

⇨ $0.06 \times 100 = \square$ (%)

백분율 알아보기 ②

나와 라라가 한팀!

전 호야와 한팀!

호야! 넌 몬스터의 25 %를 잡으면 돼.
25 %? 내가 백분율을 잘 몰라서 그러는데… 분수나 소수로 알려줄래?
다 다 다 다 다

• 25 %를 분수로 나타내기

$25\ \% \Rightarrow \frac{25}{100} = \frac{1}{4}$

• 25 %를 소수로 나타내기

$25\ \% \Rightarrow \frac{25}{100} = 0.25$

알았어! 내가 몬스터를 잡겠어!!

꼼짝 마! 몬스터!!
파앗
휙
척

똑똑한 하루 계산법

• **백분율을 분수나 소수로 나타내기**

예 25 %를 분수로 나타내기

$$25\ \% \Rightarrow \frac{25}{100} \Rightarrow \frac{1}{4}$$

기약분수로 나타낼 수 있어요.

참고
백분율은 분모가 100인 분수로 나타낼 수 있어요.

예 25 %를 소수로 나타내기

$$25\ \% \Rightarrow \frac{25}{100} = 0.25$$

OX 퀴즈

36 %를 소수로 바르게 나타냈으면 ○에, 틀렸으면 ✕에 ○표 하세요.

$36\ \% \Rightarrow \frac{36}{100} \Rightarrow 0.36$

정답 ○에 ○표

▶ 정답 및 풀이 26쪽

똑똑한 계산 연습

제한 시간 3분

백분율을 기약분수로 나타내세요.

먼저 분모가 100인 분수로 나타낸 후 약분되면 분모와 분자의 최대공약수로 약분해요.

1 7 %

⇨ 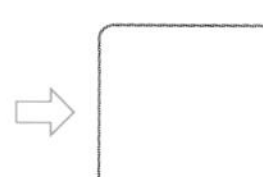

2 23 %

⇨ 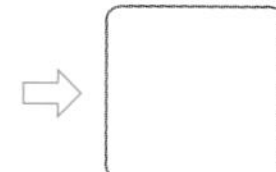

3 16 %

⇨ □

4 38 %

⇨ 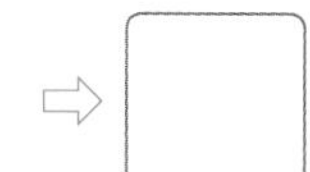

5 45 %

⇨ 

6 62 %

⇨ 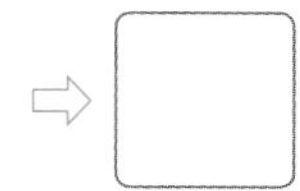

7 78 %

⇨ 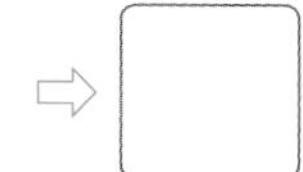

8 85 %

⇨ 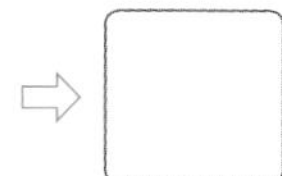

백분율을 소수로 나타내세요.

백분율을 소수로 나타낼 때 단위를 뺀 수를 $\frac{1}{100}$배 하여 소수로 나타내요.

9 56 %

⇨ 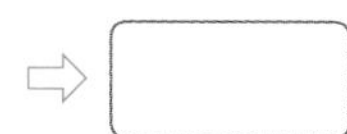

10 62 %

⇨ 

11 89 %

⇨ □

12 31 %

⇨ 

13 23 %

⇨ □

4주 4일

기초 집중 연습

빈칸에 알맞은 수를 써넣으세요.

1-1

기약분수	소수	백분율(%)
$\frac{3}{20}$		

1-2

기약분수	소수	백분율(%)
	0.17	

1-3

기약분수	소수	백분율(%)
$\frac{20}{32}$		

1-4

기약분수	소수	백분율(%)
		84

비율을 백분율로 나타내어 보세요.

2-1 $\frac{9}{20}$

2-2 $\frac{24}{50}$

2-3 0.97

2-4 0.28

⇨ ☐ %

제한 시간 10분

생활 속 계산

처음에 있던 도넛 수에 대한 판매한 도넛 수의 비율을 백분율로 나타내어 보세요.

3-1

처음에 있던 도넛 수: 40개
판매한 도넛 수: 16개

□ %

3-2

처음에 있던 도넛 수: 50개
판매한 도넛 수: 28개

□ %

3-3

처음에 있던 도넛 수: 50개
판매한 도넛 수: 17개

□ %

3-4

처음에 있던 도넛 수: 80개
판매한 도넛 수: 32개

□ %

문장 읽고 계산식 세우기

4-1

전체 학생 500명 중 남학생이 300명일 때 전체 학생 수에 대한 남학생 수의 비율을 백분율로 나타내면?

식 $\frac{300}{500} \times 100 = \square$ (%)

4-2

전체 학생 250명 중 여학생이 140명일 때 전체 학생 수에 대한 여학생 수의 비율을 백분율로 나타내면?

식 $\frac{140}{250} \times 100 = \square$ (%)

4-3

전체 인형 250개 중 불량품이 70개일 때 전체 인형 수에 대한 불량품 수의 비율을 백분율로 나타내면?

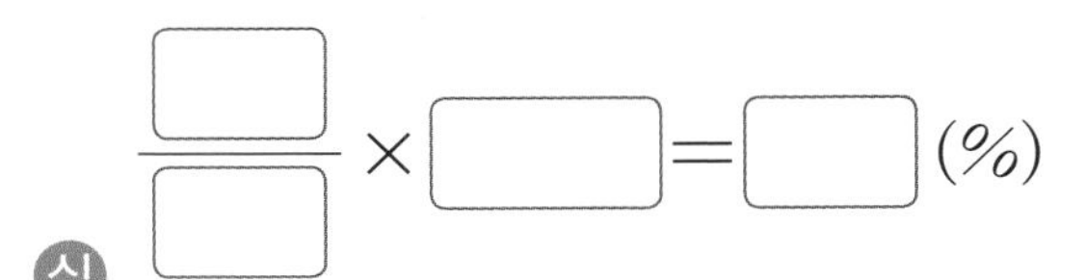

4-4

전체 인형 300개 중 불량품이 27개일 때 전체 인형 수에 대한 불량품 수의 비율을 백분율로 나타내면?

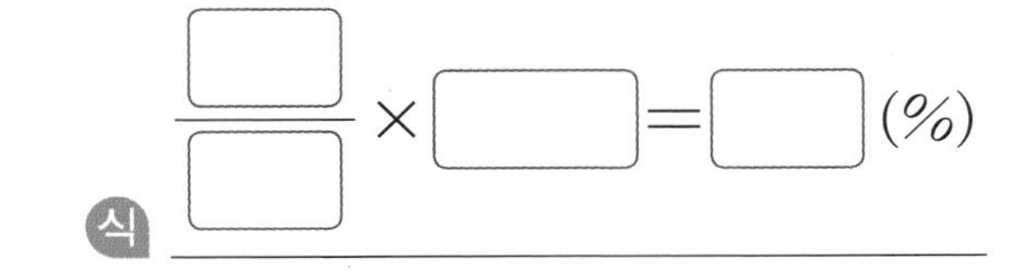

백분율이 사용되는 경우 ①

선생님, 몬스터가 너무 많아요!

반디팽이는 원래 반딧불이와 달팽이가 합쳐진 몬스터야! 이 둘을 나누면 본래 모습으로 돌아간다!

이 마법석 60 g을 녹여 마법액 300 g을 만들자.

마법액 양에 대한 마법석 양의 비율을 %로 나타내기

$\frac{60}{300} \times 100 = 20\,(\%)$ (60: 마법석 양, 300: 마법액 양)

둘로 나뉘어라! 몬스터들아!
콰
광
급할 땐 호야는 천재가 되는구나!!

똑똑한 하루 계산법

• **소금물 양에 대한 소금 양의 비율을 %로 나타내기**

$$(\text{소금물의 진하기}) = \frac{(\text{소금 양})}{(\text{소금물 양})} \times 100\,(\%)$$

예 소금 60 g을 녹여 소금물 300 g을 만들었을 때 소금물 양에 대한 소금 양의 비율을 %로 나타내기 (소금물 양 → 기준량, 소금 양 → 비교하는 양)

⇨ $\frac{60}{300} \times 100 = 20\,(\%)$

소금물은 소금과 물을 섞어 만든 것이니까 (소금물의 양)=(물의 양)+(소금의 양)입니다.
예 물 100 g, 소금 20 g일 때
⇨ (소금물의 양)$=100+20=120$ (g)

OX 퀴즈

소금물 양에 대한 소금 양의 비율을 %로 바르게 나타냈으면 ○에, 틀렸으면 ×에 ○표 하세요.

소금 10 g
소금물 200 g

⇨ $\frac{10}{200} \times 100 = 5\,(\%)$

정답 ○에 ○표

똑똑한 계산 연습

▶정답 및 풀이 27쪽

제한 시간 3분

소금물 양에 대한 소금 양의 비율은 %인지 구하세요.

❶

소금(g)	소금물(g)
7	140

$\frac{\square}{\square} \times 100 = \square$ (%)

❷

소금(g)	소금물(g)
9	150

$\frac{\square}{\square} \times 100 = \square$ (%)

❸

소금(g)	소금물(g)
12	120

$\frac{\square}{\square} \times 100 = \square$ (%)

❹

소금(g)	소금물(g)
24	200

$\frac{\square}{\square} \times 100 = \square$ (%)

❺

소금(g)	소금물(g)
56	350

$\frac{\square}{\square} \times 100 = \square$ (%)

❻

소금(g)	소금물(g)
42	280

$\frac{\square}{\square} \times 100 = \square$ (%)

백분율이 사용되는 경우 ②

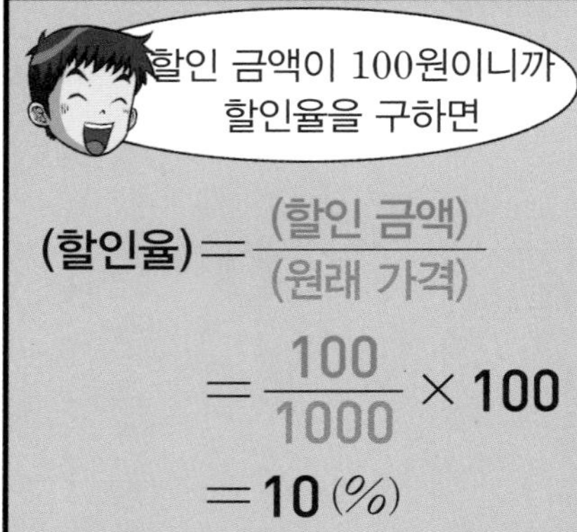

똑똑한 하루 계산법

• **할인율**

$$(\text{할인율})=\frac{(\text{할인 금액})}{(\text{원래 가격})}\times 100\ (\%)$$

예 원래 가격이 1000원, 판매 가격은 900원일 때

→(할인 금액)=(원래 가격)−(판매 가격)
=1000−900=100(원)

$$(\text{할인율})=\frac{100}{1000}\times 100=10\ (\%)$$

• **득표율**

$$(\text{득표율})=\frac{(\text{득표 수})}{(\text{전체 투표 수})}\times 100\ (\%)$$

예 500명이 참여한 투표에서 100표를 얻었을 때

$$(\text{득표율})=\frac{100}{500}\times 100=20\ (\%)$$

OX 퀴즈

설명이 바르면 ○에, 틀리면 ✕에 ○표 하세요.

할인율은 원래 가격이 기준량이고 할인 금액이 비교하는 양입니다.

정답 ○에 ○표

똑똑한 계산 연습

▶정답 및 풀이 27쪽

제한 시간 3분

원래 가격과 할인 금액을 보고 할인율을 구하세요.

1

원래 가격(원)	할인 금액(원)
15000	600

(할인율)$=\dfrac{\square}{\square}\times 100$

$=\square(\%)$

2

원래 가격(원)	할인 금액(원)
10000	2000

(할인율)$=\dfrac{\square}{\square}\times 100$

$=\square(\%)$

3

원래 가격(원)	할인 금액(원)
20000	7000

(할인율)$=\dfrac{\square}{\square}\times 100$

$=\square(\%)$

4

원래 가격(원)	할인 금액(원)
25000	8000

(할인율)$=\dfrac{\square}{\square}\times 100$

$=\square(\%)$

전체 투표 수와 득표 수를 보고 득표율을 구하세요.

5

전체 투표 수(표)	득표 수(표)
1200	180

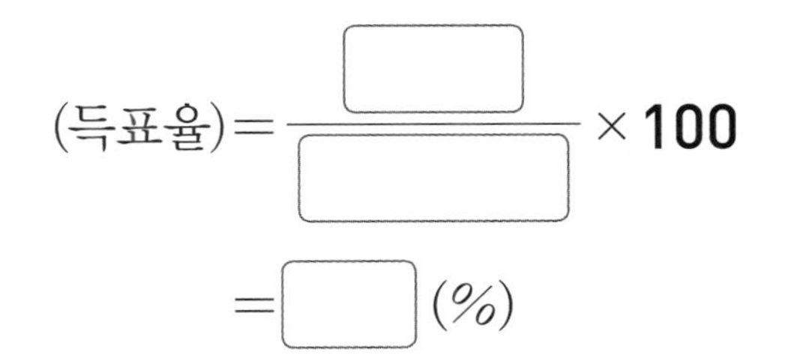

(득표율)$=\dfrac{\square}{\square}\times 100$

$=\square(\%)$

6

전체 투표 수(표)	득표 수(표)
1800	360

(득표율)$=\dfrac{\square}{\square}\times 100$

$=\square(\%)$

4주 5일

기초 집중 연습

 득표율은 몇 %인지 구하세요.

(득표율)$=\frac{\text{(득표 수)}}{\text{(전체 투표 수)}}\times 100$ (%)

1-1

전체 투표 수: 20표
득표 수: 7표

□ %

1-2

전체 투표 수: 120표
득표 수: 24표

□ %

1-3

전체 투표 수: 200표
득표 수: 80표

□ %

설탕물의 진하기는 몇 %인지 구하세요.

(설탕물의 진하기)$=\frac{\text{(설탕 양)}}{\text{(설탕물 양)}}\times 100$ (%)

2-1

설탕물 양: 300 g
설탕 양: 60 g

□ %

2-2

설탕물 양: 300 g
설탕 양: 75 g

□ %

2-3

설탕물 양: 500 g
설탕 양: 115 g

□ %

▶정답 및 풀이 27쪽

제한 시간 10분

생활 속 계산

수현이가 여러 가지 과일청을 물과 섞어 과일차를 만들었습니다. 과일차 양에 대한 과일청 양의 비율을 %로 나타내세요.

3-1

귤청 80 g
귤차 320 g

☐ %

3-2

블루베리청 54 g
블루베리차 360 g

☐ %

3-3

레몬청 172 g
레몬차 400 g

☐ %

3-4

복숭아청 265 g
복숭아차 500 g

☐ %

문장 읽고 계산식 세우기

4-1

원래 가격이 8000원, 할인 금액이 1600원일 때 할인율은?

$\frac{\square}{\square} \times 100 = \square (\%)$

식 ________________

4-2

800명이 참여한 투표에서 480표를 얻었을 때 득표율은?

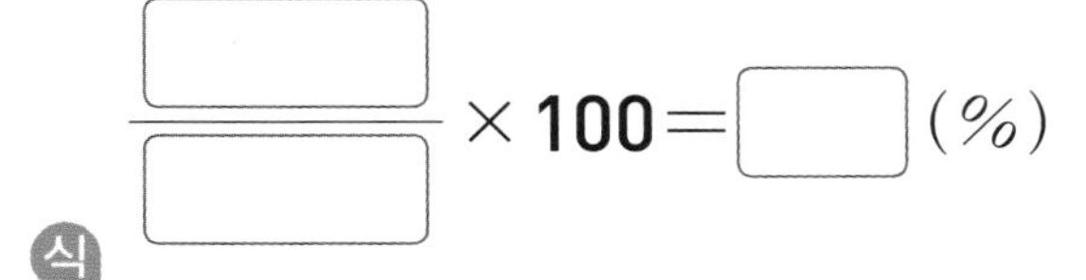

$\frac{\square}{\square} \times 100 = \square (\%)$

식 ________________

누구나 100점 맞는 TEST

비를 보고 기준량을 구하세요.

❶ 13 : 9

( )

❷ 11 : 8

( )

비율을 분수로 나타내세요.

❸ 39 : 50

( )

❹ 14에 대한 9의 비

( )

❺ 4의 13에 대한 비

( )

❻ 15와 19의 비

( )

비율을 소수로 나타내세요.

❼ 57과 100의 비

( )

❽ 50에 대한 29의 비

( )

❾ 8과 25의 비

( )

❿ 4의 25에 대한 비

( )

▶ 정답 및 풀이 28쪽

제한 시간 10분

맞은 개수 / 20개

비율을 백분율로 나타내세요.

⑪ $\frac{19}{25}$

( ) %

⑫ $\frac{17}{20}$

( ) %

⑬ 0.43

( ) %

⑭ 0.29

( ) %

백분율을 기약분수로 나타내세요.

⑮ 59 %

( )

⑯ 48 %

( )

⑰ 65 %

( )

⑱ 24 %

( )

득표율은 몇 %인지 구하세요.

⑲ 전체 투표 수: 20표
득표 수: 13표

( ) %

⑳ 전체 투표 수: 450표
득표 수: 270표

( ) %

제한 시간 안에 정확하게 모두 풀었다면
여러분은 진정한 **계산왕**!

창의 · 융합 · 코딩

관람석 수에 대한 관객 수의 비율은?

두 친구의 대화를 읽고 어느 영화가 관람석 수에 대한 관객 수의 비율이 더 높은지 구하세요.

A영화의 관람석 수에 대한 관객 수의 비율: □ %

B영화의 관람석 수에 대한 관객 수의 비율: $\frac{\square}{300} \times 100 = \square$ (%)

관람석 수에 대한 관객 수의 비율이 더 높은 영화는 □ 영화입니다.

▶정답 및 풀이 28쪽

도둑의 이름은?

어느 날 보석 가게에 도둑이 들어 가장 비싼 보석을 훔쳐 갔습니다.

암호 ①, ②, ③의 순서대로 백분율을 비율로 나타낸 수에 해당하는 글자를 찾아 도둑의 이름을 구해보자.

박 0.18	최 $\frac{31}{100}$	차 $\frac{3}{4}$	도 $\frac{18}{25}$
비 $\frac{16}{25}$	윤 $\frac{17}{50}$	삼 0.46	루 0.37
나 0.87	홍 $\frac{13}{50}$	조 0.51	장 $\frac{13}{25}$

도둑의 이름은 ① ☐ ② ☐ ③ ☐ 입니다.

창의 · 융합 · 코딩

기차놀이 세트를 파는 곳입니다. 어느 곳의 할인율이 더 높을까요?

파는 곳	대형마트	인터넷
할인율	$\frac{9}{50}$	16 %

대형마트 할인율은 $\frac{9}{50}$ ⇨ ☐ (%)이고

인터넷 할인율은 16 %입니다.

답 ________________

융합 4 승진이와 대성이는 농구공 던져 넣기를 했습니다. 성공률을 소수로 나타내세요.

공을 던진 횟수가 기준량, 넣은 횟수가 비교하는 양이에요.

승진

공을 45번 던져서 36번을 넣었어요.

대성

공을 40번 던져서 34번 넣었어요.

답 승진 ________________, 대성 ________________

▶정답 및 풀이 28쪽

창의 5 유리는 박물관에 가려고 합니다. 비율을 바르게 나타낸 곳을 따라가면 박물관에 갈 수 있습니다. 길을 찾아 선으로 이어 보세요.

출발	7 : 8 ➡ 0.875	5 대 6 ➡ $\frac{6}{5}$	8과 25의 비 ➡ 0.36
64에 대한 24의 비 ➡ $\frac{7}{20}$	8의 12에 대한 비 ➡ $\frac{2}{3}$	9 : 30 ➡ 0.3	14 대 56 ➡ $\frac{2}{7}$
27과 45의 비 ➡ 0.4	15에 대한 12의 비 ➡ $\frac{5}{4}$	16의 32에 대한 비 ➡ 0.5	18 : 40 ➡ $\frac{9}{20}$
2 대 10 ➡ 0.4	18과 80의 비 ➡ $\frac{1}{4}$	30에 대한 12의 비 ➡ $\frac{4}{5}$	3의 25에 대한 비 ➡ 0.12
39 : 65 ➡ 0.4	19 대 48 ➡ $\frac{48}{19}$	43과 13의 비 ➡ $\frac{13}{43}$	박물관

비율을 어떻게 구할까?

비교하는 양을 기준량으로 나누면 돼.

창의 · 융합 · 코딩

각 야구 선수의 타율을 소수로 나타내고 3루수는 누구인지 구하세요.

타율은 **전체 타수에 대한 안타 수의 비율**입니다.

(1) 200타수를 기록하고 65개의 안타를 쳤어요.

우영

(2) 400타수를 기록하고 100개의 안타를 쳤어요.

성훈

(3) 400타수를 기록하고 150개의 안타를 쳤어요.

민재

(4) 300타수를 기록하고 87개의 안타를 쳤어요.

시환

(5) 400타수를 기록하고 124개의 안타를 쳤어요.

재훈

답 3루수의 타율이 가장 낮다고 합니다. 3루수는 누구일까요?

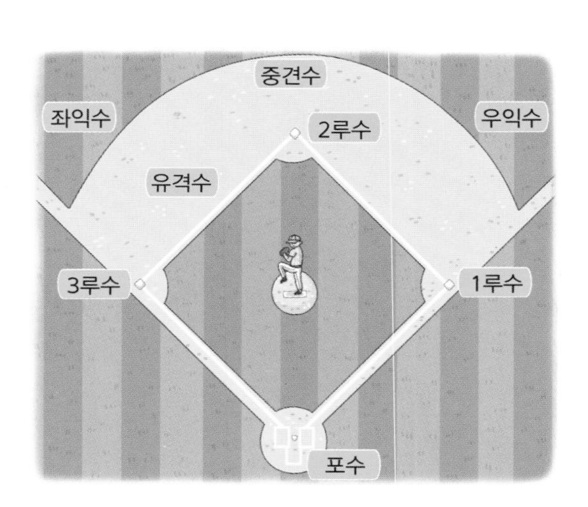

▶정답 및 풀이 28쪽

코딩 7 다음과 같이 라면을 할인한다고 합니다. 할인 금액을 계산하는 과정을 보고 계산 결과로 나오는 값을 구하세요.

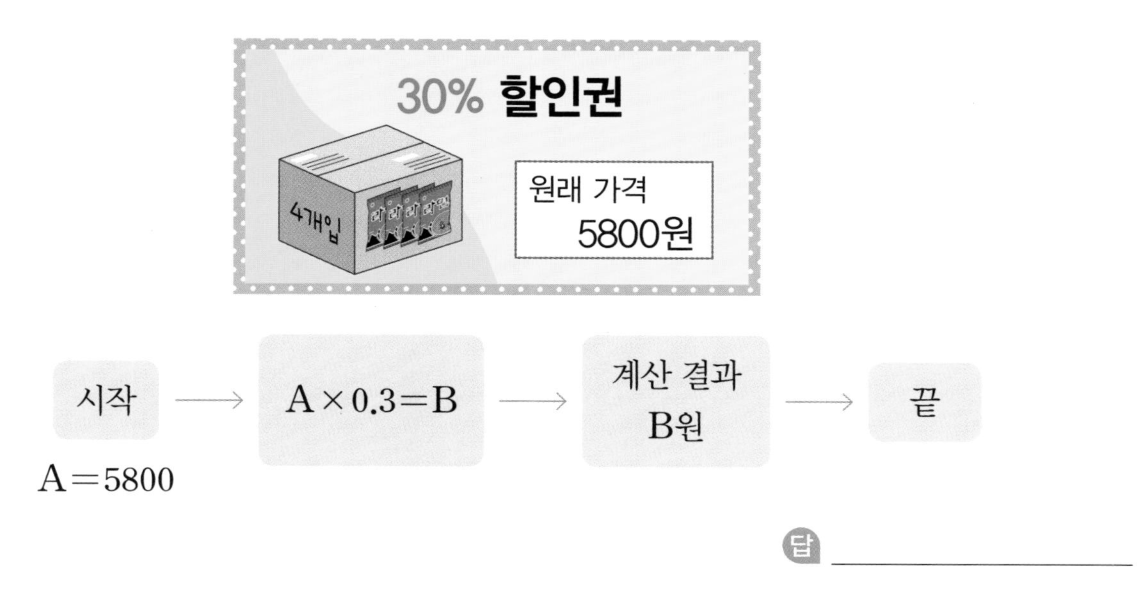

답 ____________

코딩 8 전체 학생 수에 대한 좋아하는 간식별 학생 수의 비율을 백분율로 나타내려고 합니다. ㉠을 구하려면 A와 B에 어떤 수를 넣어야 할지 구하세요.

좋아하는 간식별 학생 수

간식	떡볶이	순대	튀김	합계
학생 수(명)	27	18	15	60
백분율(%)	㉠			

시작 (A, B입력) → $A \div B = C$, $C \times 100 =$ ㉠ → 계산 결과 ㉠ → 끝

답 A ________, B ________

MEMO

쉽다!

10분이면 하루 치 공부를 마칠 수 있는 커리큘럼으로,
아이들이 초등 학습에 쉽고 재미있게 접근할 수 있도록 구성하였습니다.

재미있다!

교과서는 물론 생활 속에서 쉽게 접할 수 있는 다양한 소재와
재미있는 게임 형식의 문제로 흥미로운 학습이 가능합니다.

똑똑하다!

초등학생에게 꼭 필요한 학습 지식 습득은 물론
창의력 확장까지 가능한 교재로 올바른 공부습관을 가지는 데 도움을 줍니다.

정답 및 풀이

똑 똑 한

하루 계산

초등 수학 6A
6학년 수준

천재교육

정답 및 풀이
포인트 3가지

- 혼자서도 이해할 수 있는 문제 풀이
- 자세한 풀이 제시
- 참고·주의 등 풍부한 보충 설명

정답 및 풀이

1주 분수의 나눗셈

6~7쪽 이번에 배울 내용을 알아볼까요? ②

1-1 $1, 6, \frac{5}{48}$

1-2 $3, 2, \frac{3}{14}$

1-3 $\frac{5}{18}$

1-4 $\frac{1}{18}$

2-1 $5, \frac{5}{12}$

2-2 $10, \frac{10}{63}$

2-3 $\frac{15}{16}$

2-4 $\frac{5}{6}$

1-3 $\frac{5}{6}\times\frac{1}{3}=\frac{5\times1}{6\times3}=\frac{5}{18}$

1-4 $\frac{4}{9}\times\frac{1}{8}=\frac{\overset{1}{\cancel{4}}\times1}{9\times\underset{2}{\cancel{8}}}=\frac{1}{18}$

2-3 $1\frac{7}{8}\times\frac{1}{2}=\frac{15}{8}\times\frac{1}{2}=\frac{15}{16}$

2-4 $3\frac{1}{3}\times\frac{1}{4}=\frac{\overset{5}{\cancel{10}}}{3}\times\frac{1}{\underset{2}{\cancel{4}}}=\frac{5}{6}$

9쪽 똑똑한 계산 연습

❶ 2 ❷ 8 ❸ 3

❹ $\frac{10}{13}$ ❺ $\frac{1}{3}$ ❻ $\frac{1}{5}$

❼ $\frac{1}{7}$ ❽ $\frac{1}{15}$ ❾ $\frac{1}{11}$

❿ $\frac{1}{24}$ ⓫ $\frac{2}{3}$ ⓬ $\frac{4}{9}$

⓭ $\frac{7}{10}$ ⓮ $\frac{6}{13}$

❺ $1\div■=\frac{1}{■}$ ⇨ $1\div3=\frac{1}{3}$

⓫ $▲\div■=\frac{▲}{■}$ ⇨ $2\div3=\frac{2}{3}$

11쪽 똑똑한 계산 연습

❶ $5, 2\frac{1}{2}$

❷ $\frac{8}{7}, 1\frac{1}{7}$

❸ $19, 4\frac{3}{4}$

❹ $\frac{25}{13}, 1\frac{12}{13}$

❺ $1\frac{1}{2}\left(=\frac{3}{2}\right)$

❻ $2\frac{1}{3}\left(=\frac{7}{3}\right)$

❼ $1\frac{1}{4}\left(=\frac{5}{4}\right)$

❽ $1\frac{5}{6}\left(=\frac{11}{6}\right)$

❾ $1\frac{3}{7}\left(=\frac{10}{7}\right)$

❿ $2\frac{3}{8}\left(=\frac{19}{8}\right)$

⓫ $2\frac{1}{10}\left(=\frac{21}{10}\right)$

⓬ $3\frac{3}{5}\left(=\frac{18}{5}\right)$

⓭ $2\frac{7}{9}\left(=\frac{25}{9}\right)$

⓮ $3\frac{4}{11}\left(=\frac{37}{11}\right)$

12~13쪽 기초 집중 연습

1-1 $\frac{1}{6}$

1-2 $\frac{2}{5}$

1-3 $\frac{5}{3}, 1\frac{2}{3}$

2-1 $\frac{1}{8}$

2-2 $\frac{3}{7}$

2-3 $2\frac{1}{4}\left(=\frac{9}{4}\right)$

2-4 $2\frac{6}{13}\left(=\frac{32}{13}\right)$

3-1 $\frac{1}{2}$

3-2 $\frac{1}{4}$

3-3 $\frac{3}{8}$

4-1 $\frac{1}{3}$

4-2 $\frac{4}{5}$

4-3 $\frac{9}{7}, 1\frac{2}{7}$

4-4 $\frac{8}{3}, 2\frac{2}{3}$

1-1 $1\div6$의 몫은 1을 6등분한 것 중 하나이므로 $\frac{1}{6}$입니다.

1-2 $2\div5$는 $\frac{1}{5}$이 2개이므로 $\frac{2}{5}$입니다.

1-3 $5\div3$은 $\frac{1}{3}$이 5개이므로 $\frac{5}{3}=1\frac{2}{3}$입니다.

4-1 (하루에 마시는 주스의 양)
=(전체 주스의 양)÷(마시는 날수)

15쪽 똑똑한 계산 연습

❶ 2, 2, 1 ❷ 8, 4, 2
❸ 15, 3, 5 ❹ 21, 7, 3
❺ $\frac{1}{4}$ ❻ $\frac{2}{7}$ ❼ $\frac{1}{13}$
❽ $\frac{5}{11}$ ❾ $\frac{3}{13}$ ❿ $\frac{3}{14}$
⓫ $\frac{2}{15}$ ⓬ $\frac{2}{19}$

❺ $\frac{3}{4}\div 3=\frac{3\div 3}{4}=\frac{1}{4}$

17쪽 똑똑한 계산 연습

❶ 6, 6, 3, 2 ❷ 20, 20, 4, 5
❸ $\frac{3}{28}$ ❹ $\frac{3}{20}$ ❺ $\frac{5}{12}$
❻ $\frac{7}{30}$ ❼ $\frac{11}{84}$ ❽ $\frac{5}{48}$
❾ $\frac{8}{75}$ ❿ $\frac{16}{189}$

❸ $\frac{3}{7}\div 4=\frac{12}{28}\div 4=\frac{12\div 4}{28}=\frac{3}{28}$

❹ $\frac{3}{4}\div 5=\frac{15}{20}\div 5=\frac{15\div 5}{20}=\frac{3}{20}$

❺ $\frac{5}{6}\div 2=\frac{10}{12}\div 2=\frac{10\div 2}{12}=\frac{5}{12}$

❻ $\frac{7}{10}\div 3=\frac{21}{30}\div 3=\frac{21\div 3}{30}=\frac{7}{30}$

❼ $\frac{11}{12}\div 7=\frac{77}{84}\div 7=\frac{77\div 7}{84}=\frac{11}{84}$

❽ $\frac{5}{8}\div 6=\frac{30}{48}\div 6=\frac{30\div 6}{48}=\frac{5}{48}$

❾ $\frac{8}{15}\div 5=\frac{40}{75}\div 5=\frac{40\div 5}{75}=\frac{8}{75}$

❿ $\frac{16}{21}\div 9=\frac{144}{189}\div 9=\frac{144\div 9}{189}=\frac{16}{189}$

18~19쪽 기초 집중 연습

1-1 예 ; $\frac{3}{8}$

1-2 예 ; $\frac{2}{25}$

2-1 $\frac{2}{9}$ **2-2** $\frac{2}{13}$ **2-3** $\frac{6}{17}$
2-4 $\frac{4}{29}$ **2-5** $\frac{3}{64}$ **2-6** $\frac{5}{66}$
3-1 $\frac{2}{5}$ **3-2** $\frac{3}{10}$ **3-3** $\frac{5}{16}$
3-4 $\frac{4}{25}$ **4-1** $\frac{7}{16}$ **4-2** $\frac{13}{100}$

1-1 $\frac{3}{4}$을 똑같이 2로 나눈 것 중의 하나에 빗금을 그어 보면 $\frac{3}{8}$입니다.

1-2 $\frac{2}{5}$를 똑같이 5로 나눈 것 중의 하나에 빗금을 그어 보면 $\frac{2}{25}$입니다.

2-5 $\frac{3}{8}\div 8=\frac{24}{64}\div 8=\frac{24\div 8}{64}=\frac{3}{64}$

2-6 $\frac{5}{11}\div 6=\frac{30}{66}\div 6=\frac{30\div 6}{66}=\frac{5}{66}$

3-1 $\frac{4}{5}\div 2=\frac{4\div 2}{5}=\frac{2}{5}$ (m)

3-2 $\frac{9}{10}\div 3=\frac{9\div 3}{10}=\frac{3}{10}$ (m)

3-3 $\frac{15}{16}\div 3=\frac{15\div 3}{16}=\frac{5}{16}$ (m)

3-4 $\frac{16}{25}\div 4=\frac{16\div 4}{25}=\frac{4}{25}$ (m)

4-1 $\frac{7}{8}\div 2=\frac{14}{16}\div 2=\frac{14\div 2}{16}=\frac{7}{16}$ (m)

4-2 $\frac{13}{20}\div 5=\frac{65}{100}\div 5=\frac{65\div 5}{100}=\frac{13}{100}$ (m)

21쪽 똑똑한 계산 연습

❶ 2, $\frac{3}{10}$　❷ 3, $\frac{5}{21}$
❸ $\frac{1}{7}$, $\frac{1}{28}$　❹ 5, $\frac{8}{45}$
❺ $\frac{5}{18}$　❻ $\frac{4}{35}$　❼ $\frac{3}{80}$
❽ $\frac{7}{24}$　❾ $\frac{3}{32}$　❿ $\frac{4}{75}$
⓫ $\frac{5}{26}$　⓬ $\frac{11}{120}$

❾ $\frac{3}{8}\div 4=\frac{3}{8}\times\frac{1}{4}=\frac{3}{32}$

❿ $\frac{4}{15}\div 5=\frac{4}{15}\times\frac{1}{5}=\frac{4}{75}$

⓫ $\frac{5}{13}\div 2=\frac{5}{13}\times\frac{1}{2}=\frac{5}{26}$

⓬ $\frac{11}{20}\div 6=\frac{11}{20}\times\frac{1}{6}=\frac{11}{120}$

23쪽 똑똑한 계산 연습

❶ 2, 8　❷ 6, $\frac{11}{42}$　❸ 3, $\frac{10}{9}$, $1\frac{1}{9}$
❹ $\frac{9}{10}$　❺ $\frac{14}{27}$　❻ $\frac{11}{48}$
❼ $\frac{27}{32}$　❽ $\frac{19}{60}$　❾ $\frac{21}{26}$
❿ $1\frac{4}{21}\left(=\frac{25}{21}\right)$　⓫ $\frac{15}{56}$

❽ $\frac{19}{12}\div 5=\frac{19}{12}\times\frac{1}{5}=\frac{19}{60}$

❾ $\frac{21}{13}\div 2=\frac{21}{13}\times\frac{1}{2}=\frac{21}{26}$

❿ $\frac{25}{7}\div 3=\frac{25}{7}\times\frac{1}{3}=\frac{25}{21}=1\frac{4}{21}$

⓫ $\frac{15}{8}\div 7=\frac{15}{8}\times\frac{1}{7}=\frac{15}{56}$

24~25쪽 기초 집중 연습

1-1 (선 잇기)　**1-2** (선 잇기)

2-1 $\frac{1}{6}$　**2-2** $\frac{2}{25}$　**2-3** $\frac{10}{39}$
2-4 $\frac{7}{45}$　**2-5** $\frac{20}{63}$　**2-6** $1\frac{5}{16}\left(=\frac{21}{16}\right)$
3-1 $\frac{7}{16}$　**3-2** $\frac{4}{15}$　**3-3** $\frac{9}{20}$
3-4 $\frac{37}{40}$　**4-1** $\frac{7}{60}$　**4-2** $\frac{19}{32}$

1-1 $\frac{▲}{■}\div ●=\frac{▲}{■}\times\frac{1}{●}$

2-1 $\frac{1}{3}\div 2=\frac{1}{3}\times\frac{1}{2}=\frac{1}{6}$

2-2 $\frac{2}{5}\div 5=\frac{2}{5}\times\frac{1}{5}=\frac{2}{25}$

2-3 $\frac{10}{13}\div 3=\frac{10}{13}\times\frac{1}{3}=\frac{10}{39}$

2-4 $\frac{14}{15}\div 6=\frac{\overset{7}{\cancel{14}}}{15}\times\frac{1}{\underset{3}{\cancel{6}}}=\frac{7}{45}$

2-5 $\frac{20}{7}\div 9=\frac{20}{7}\times\frac{1}{9}=\frac{20}{63}$

2-6 $\frac{21}{4}\div 4=\frac{21}{4}\times\frac{1}{4}=\frac{21}{16}=1\frac{5}{16}$

3-1 $\frac{7}{8}\div 2=\frac{7}{8}\times\frac{1}{2}=\frac{7}{16}$ (kg)

3-2 $\frac{4}{5}\div 3=\frac{4}{5}\times\frac{1}{3}=\frac{4}{15}$ (kg)

3-3 $\frac{9}{4}\div 5=\frac{9}{4}\times\frac{1}{5}=\frac{9}{20}$ (kg)

3-4 $\frac{37}{10}\div 4=\frac{37}{10}\times\frac{1}{4}=\frac{37}{40}$ (kg)

4-1 $\frac{7}{10}\div 6=\frac{7}{10}\times\frac{1}{6}=\frac{7}{60}$ (kg)

4-2 $\frac{19}{8}\div 4=\frac{19}{8}\times\frac{1}{4}=\frac{19}{32}$ (kg)

27쪽 똑똑한 계산 연습

❶ 6, 6, 2, 3 ❷ 8, 8, 4, 2
❸ 14, 2 ❹ 15, 5, 3
❺ $\frac{1}{4}$ ❻ $\frac{5}{8}$ ❼ $\frac{6}{7}$
❽ $\frac{5}{6}$ ❾ $\frac{4}{7}$ ❿ $1\frac{2}{5}\left(=\frac{7}{5}\right)$

❼ $1\frac{5}{7}\div2=\frac{12}{7}\div2=\frac{12\div2}{7}=\frac{6}{7}$

❽ $4\frac{1}{6}\div5=\frac{25}{6}\div5=\frac{25\div5}{6}=\frac{5}{6}$

❾ $3\frac{3}{7}\div6=\frac{24}{7}\div6=\frac{24\div6}{7}=\frac{4}{7}$

❿ $5\frac{3}{5}\div4=\frac{28}{5}\div4=\frac{28\div4}{5}=\frac{7}{5}=1\frac{2}{5}$

29쪽 똑똑한 계산 연습

❶ 11, 33, 33, 3, 11 ❷ 19, 76, 76, 4, $\frac{19}{32}$
❸ 11, 11 ❹ 10, $\frac{10}{21}$
❺ $\frac{7}{15}$ ❻ $\frac{17}{27}$ ❼ $\frac{21}{40}$
❽ $\frac{7}{12}$ ❾ $2\frac{1}{12}\left(=\frac{25}{12}\right)$ ❿ $1\frac{19}{21}\left(=\frac{40}{21}\right)$

❺ $1\frac{2}{5}\div3=\frac{7}{5}\times\frac{1}{3}=\frac{7}{15}$

❻ $1\frac{8}{9}\div3=\frac{17}{9}\times\frac{1}{3}=\frac{17}{27}$

❼ $2\frac{5}{8}\div5=\frac{21}{8}\times\frac{1}{5}=\frac{21}{40}$

❽ $3\frac{1}{2}\div6=\frac{7}{2}\times\frac{1}{6}=\frac{7}{12}$

❾ $4\frac{1}{6}\div2=\frac{25}{6}\times\frac{1}{2}=\frac{25}{12}=2\frac{1}{12}$

❿ $5\frac{5}{7}\div3=\frac{40}{7}\times\frac{1}{3}=\frac{40}{21}=1\frac{19}{21}$

30~31쪽 기초 집중 연습

1-1 $6\frac{2}{3}\div10=\frac{20}{3}\div10=\frac{20\div10}{3}=\frac{2}{3}$

1-2 $4\frac{4}{9}\div5=\frac{40}{9}\div5=\frac{40\div5}{9}=\frac{8}{9}$

2-1 $3\frac{1}{2}\div4=\frac{7}{2}\div4=\frac{7}{2}\times\frac{1}{4}=\frac{7}{8}$

2-2 $2\frac{1}{6}\div6=\frac{13}{6}\div6=\frac{13}{6}\times\frac{1}{6}=\frac{13}{36}$

3-1 $\frac{4}{7}$ **3-2** $\frac{5}{8}$
3-3 $\frac{32}{99}$ **3-4** $1\frac{1}{20}\left(=\frac{21}{20}\right)$
4-1 $\frac{1}{4}$ **4-2** $\frac{3}{8}$
4-3 $\frac{17}{30}$ **4-4** $\frac{23}{30}$
5-1 1, 3 **5-2** 1, 11

3-1 $5\frac{1}{7}\div9=\frac{36}{7}\div9=\frac{36\div9}{7}=\frac{4}{7}$

3-2 $3\frac{1}{8}\div5=\frac{25}{8}\div5=\frac{25\div5}{8}=\frac{5}{8}$

3-3 $3\frac{5}{9}\div11=\frac{32}{9}\times\frac{1}{11}=\frac{32}{99}$

3-4 $4\frac{1}{5}\div4=\frac{21}{5}\times\frac{1}{4}=\frac{21}{20}=1\frac{1}{20}$

4-1 $1\frac{1}{4}\div5=\frac{5}{4}\div5=\frac{5\div5}{4}=\frac{1}{4}$ (km)

4-2 $2\frac{5}{8}\div7=\frac{21}{8}\div7=\frac{21\div7}{8}=\frac{3}{8}$ (km)

4-3 $3\frac{2}{5}\div6=\frac{17}{5}\times\frac{1}{6}=\frac{17}{30}$ (km)

4-4 $6\frac{9}{10}\div9=\frac{\overset{23}{\cancel{69}}}{10}\times\frac{1}{\underset{3}{\cancel{9}}}=\frac{23}{30}$ (km)

5-1 $6\frac{2}{5}\div4=\frac{32}{5}\div4=\frac{32\div4}{5}=\frac{8}{5}=1\frac{3}{5}$ (km)

5-2 $10\frac{1}{8}\div6=\frac{\overset{27}{\cancel{81}}}{8}\times\frac{1}{\underset{2}{\cancel{6}}}=\frac{27}{16}=1\frac{11}{16}$ (km)

33쪽 똑똑한 계산 연습

❶ $8,\ \frac{15}{56}$ ❷ $4,\ \frac{3}{20}$

❸ $9,\ 15,\ 1\frac{7}{8}$ ❹ $12,\ 10,\ 42,\ 1\frac{17}{25}$

❺ $\frac{4}{27}$ ❻ $1\frac{1}{20}\left(=\frac{21}{20}\right)$

❼ $\frac{3}{16}$ ❽ $\frac{8}{39}$

❾ $1\frac{1}{9}\left(=\frac{10}{9}\right)$ ❿ $2\frac{1}{16}\left(=\frac{33}{16}\right)$

❼ $\frac{5}{8}\times3\div10=\frac{\overset{1}{\cancel{5}}}{8}\times3\times\frac{1}{\underset{2}{\cancel{10}}}=\frac{3}{16}$

❽ $\frac{10}{13}\div15\times4=\frac{\overset{2}{\cancel{10}}}{13}\times\frac{1}{\underset{3}{\cancel{15}}}\times4=\frac{8}{39}$

❾ $1\frac{7}{9}\times5\div8=\frac{\overset{2}{\cancel{16}}}{9}\times5\times\frac{1}{\underset{1}{\cancel{8}}}=\frac{10}{9}=1\frac{1}{9}$

❿ $2\frac{3}{4}\div4\times3=\frac{11}{4}\times\frac{1}{4}\times3=\frac{33}{16}=2\frac{1}{16}$

35쪽 똑똑한 계산 연습

❶ $2,\ \frac{3}{40}$ ❷ $6,\ 3,\ 99$

❸ $11,\ 7,\ 2,\ \frac{11}{126}$ ❹ $21,\ 5,\ 14,\ 100$

❺ $\frac{4}{135}$ ❻ $\frac{3}{64}$ ❼ $\frac{2}{51}$

❽ $\frac{4}{63}$ ❾ $\frac{13}{112}$ ❿ $\frac{3}{16}$

❼ $\frac{14}{17}\div7\div3=\frac{\overset{2}{\cancel{14}}}{17}\times\frac{1}{\underset{1}{\cancel{7}}}\times\frac{1}{3}=\frac{2}{51}$

❽ $\frac{20}{21}\div5\div3=\frac{\overset{4}{\cancel{20}}}{21}\times\frac{1}{\underset{1}{\cancel{5}}}\times\frac{1}{3}=\frac{4}{63}$

❾ $1\frac{6}{7}\div8\div2=\frac{13}{7}\times\frac{1}{8}\times\frac{1}{2}=\frac{13}{112}$

❿ $2\frac{1}{4}\div2\div6=\frac{\overset{3}{\cancel{9}}}{4}\times\frac{1}{2}\times\frac{1}{\underset{2}{\cancel{6}}}=\frac{3}{16}$

36~37쪽 기초 집중 연습

1-1 $\frac{15}{16}\div3\div10=\frac{\overset{5}{\cancel{15}}}{16}\times\frac{1}{\underset{1}{\cancel{3}}}\div10=\frac{\overset{1}{\cancel{5}}}{16}\times\frac{1}{\underset{2}{\cancel{10}}}=\frac{1}{32}$

1-2 $\frac{21}{25}\div14\div2=\frac{\overset{3}{\cancel{21}}}{25}\times\frac{1}{\underset{2}{\cancel{14}}}\div2=\frac{3}{50}\times\frac{1}{2}=\frac{3}{100}$

2-1 $2\frac{5}{8}\left(=\frac{21}{8}\right)$ **2-2** $\frac{15}{32}$

2-3 $\frac{13}{24}$ **2-4** $2\frac{19}{28}\left(=\frac{75}{28}\right)$

2-5 $\frac{5}{54}$ **2-6** $\frac{8}{45}$

3-1 $19\frac{3}{8}\left(=\frac{155}{8}\right)$ **3-2** $29\frac{2}{5}\left(=\frac{147}{5}\right)$

3-3 $27\frac{9}{10}\left(=\frac{279}{10}\right)$ **3-4** $40\frac{4}{5}\left(=\frac{204}{5}\right)$

4-1 11 **4-2** 7

2-2 $3\frac{1}{8}\times3\div20=\frac{\overset{5}{\cancel{25}}}{8}\times3\times\frac{1}{\underset{4}{\cancel{20}}}=\frac{15}{32}$

2-3 $\frac{13}{16}\div6\times4=\frac{13}{\underset{4}{\cancel{16}}}\times\frac{1}{6}\times\overset{1}{\cancel{4}}=\frac{13}{24}$

2-6 $3\frac{11}{15}\div3\div7=\frac{\overset{8}{\cancel{56}}}{15}\times\frac{1}{3}\times\frac{1}{\underset{1}{\cancel{7}}}=\frac{8}{45}$

3-1 $7\frac{3}{4}\times5\div2=\frac{31}{4}\times5\times\frac{1}{2}=\frac{155}{8}=19\frac{3}{8}\ (m^2)$

3-2 $8\frac{2}{5}\times7\div2=\frac{\overset{21}{\cancel{42}}}{5}\times7\times\frac{1}{\underset{1}{\cancel{2}}}=\frac{147}{5}=29\frac{2}{5}\ (m^2)$

3-3 $9\frac{3}{10}\times6\div2=\frac{93}{\underset{5}{\cancel{10}}}\times\overset{3}{\cancel{6}}\times\frac{1}{2}=\frac{279}{10}=27\frac{9}{10}\ (m^2)$

3-4 $10\frac{1}{5}\times8\div2=\frac{51}{5}\times\overset{4}{\cancel{8}}\times\frac{1}{\underset{1}{\cancel{2}}}=\frac{204}{5}=40\frac{4}{5}\ (m^2)$

4-1 $1\frac{3}{8}\times2\div3=\frac{11}{\underset{4}{\cancel{8}}}\times\overset{1}{\cancel{2}}\times\frac{1}{3}=\frac{11}{12}\ (m)$

4-2 $2\frac{3}{16}\times2\div5=\frac{\overset{7}{\cancel{35}}}{\underset{8}{\cancel{16}}}\times\overset{1}{\cancel{2}}\times\frac{1}{\underset{1}{\cancel{5}}}=\frac{7}{8}\ (m)$

정답 및 풀이

38~39쪽 누구나 100점 맞는 TEST

❶ $\frac{1}{9}$ ❷ $\frac{5}{8}$ ❸ $1\frac{1}{4}\left(=\frac{5}{4}\right)$
❹ $2\frac{1}{6}\left(=\frac{13}{6}\right)$ ❺ $\frac{4}{19}$ ❻ $\frac{3}{10}$
❼ $\frac{7}{30}$ ❽ $\frac{6}{55}$ ❾ $\frac{7}{32}$
❿ $1\frac{11}{12}\left(=\frac{23}{12}\right)$ ⓫ $\frac{4}{5}$ ⓬ $\frac{3}{4}$
⓭ $\frac{9}{28}$ ⓮ $\frac{4}{15}$ ⓯ $\frac{8}{21}$
⓰ $1\frac{11}{15}\left(=\frac{26}{15}\right)$ ⓱ $\frac{8}{15}$ ⓲ $\frac{8}{9}$
⓳ $\frac{3}{80}$ ⓴ $\frac{7}{40}$

⓮ $5\frac{3}{5}\div 21=\frac{\overset{4}{\cancel{28}}}{5}\times\frac{1}{\underset{3}{\cancel{21}}}=\frac{4}{15}$

⓰ $4\frac{1}{3}\times 2\div 5=\frac{13}{3}\times 2\times\frac{1}{5}=\frac{26}{15}=1\frac{11}{15}$

⓲ $1\frac{5}{9}\div 7\times 4=\frac{\overset{2}{\cancel{14}}}{9}\times\frac{1}{\underset{1}{\cancel{7}}}\times 4=\frac{8}{9}$

⓴ $2\frac{5}{8}\div 3\div 5=\frac{\overset{7}{\cancel{21}}}{8}\times\frac{1}{\underset{1}{\cancel{3}}}\times\frac{1}{5}=\frac{7}{40}$

40~45쪽 특강 창의 · 융합 · 코딩

창의1 341 융합2 우유부단
융합3 $7\frac{3}{5}\left(=\frac{38}{5}\right)$
창의4 예 주스 5 L ; 여학생 6명 ; $5\div 6=\frac{5}{6}$; $\frac{5}{6}$
융합5 (1) 4 (2) (위부터) 75 ; $1\frac{1}{4}\left(=\frac{5}{4}\right)$; 2 ; 4, $\frac{7}{8}$; 1, 4, $\frac{1}{4}$
창의6 $5\frac{1}{4}\left(=\frac{21}{4}\right)$ 창의7 $9\frac{3}{16}\left(=\frac{147}{16}\right)$
창의8 $\frac{3}{4}$, $\frac{11}{32}$, $\frac{11}{24}$ 융합9 예 $\frac{3}{8}$, 11 ; $\frac{3}{88}$

창의1 $\frac{9}{11}\div 3=\frac{9\div 3}{11}=\frac{3}{11}$ ⇨ ①=3

$\frac{8}{9}\div 2=\frac{8\div 2}{9}=\frac{4}{9}$ ⇨ ②=4

$\frac{6}{7}\div 12=\frac{\overset{1}{\cancel{6}}}{7}\times\frac{1}{\underset{2}{\cancel{12}}}=\frac{1}{14}$ ⇨ ③=1

따라서 비밀번호는 341입니다.

융합2 $2\frac{8}{11}\div 20=\frac{30}{11}\div 20=\frac{\overset{3}{\cancel{30}}}{11}\times\frac{1}{\underset{2}{\cancel{20}}}=\frac{3}{22}$

⇨ ①=30, ②=1, ③=20, ④=3이므로 사자성어는 우유부단입니다.

창의6 (세로)=(직사각형의 넓이)÷(가로)

⇨ $\frac{147}{4}\div 7=\frac{147\div 7}{4}=\frac{21}{4}=5\frac{1}{4}$ (m)

창의7 심은 채소의 종류가 4가지이고 모두 똑같은 넓이로 심었으므로 오이를 심은 부분의 넓이는 $\frac{147}{4}\div 4=\frac{147}{4}\times\frac{1}{4}=\frac{147}{16}=9\frac{3}{16}$ (m^2)입니다.

창의8

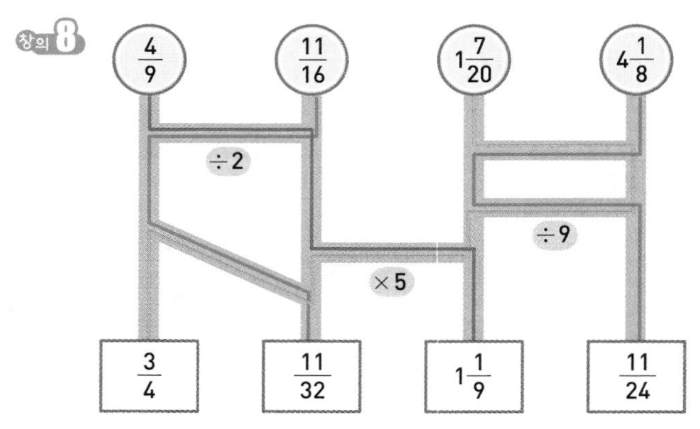

$\frac{11}{16}\div 2=\frac{11}{16}\times\frac{1}{2}=\frac{11}{32}$

$1\frac{7}{20}\div 9\times 5=\frac{\overset{3}{\cancel{27}}}{\underset{4}{\cancel{20}}}\times\frac{1}{\underset{1}{\cancel{9}}}\times\overset{1}{\cancel{5}}=\frac{3}{4}$

$4\frac{1}{8}\div 9=\frac{\overset{11}{\cancel{33}}}{8}\times\frac{1}{\underset{3}{\cancel{9}}}=\frac{11}{24}$

융합9 $\frac{●}{■}\div▲$는 $\frac{●}{■}\times\frac{1}{▲}$로 계산할 수 있습니다.

나눗셈식의 계산 결과가 가장 작을 때는 ■와 ▲의 곱이 가장 클 때입니다.

따라서 $\frac{3}{8}\div 11$ 또는 $\frac{3}{11}\div 8$을 만들어야 합니다.

2주 소수의 나눗셈 (1)

48~49쪽 이번에 배울 내용을 알아볼까요? ②

1-1 $\frac{3}{5}$	**1**-2 $\frac{7}{10}$	**1**-3 $\frac{6}{13}$
1-4 $\frac{8}{11}$	**1**-5 $\frac{5}{14}$	**1**-6 $\frac{9}{16}$
2-1 $\frac{2}{9}$	**2**-2 $\frac{3}{7}$	**2**-3 $\frac{1}{14}$
2-4 $\frac{2}{39}$	**2**-5 $\frac{2}{9}$	**2**-6 $\frac{2}{5}$

1-1 $3\div5=\frac{3}{5}$

2-2 $\frac{6}{7}\div2=\frac{6\div2}{7}=\frac{3}{7}$

2-3 $\frac{3}{7}\div6=\frac{\overset{1}{\cancel{3}}}{7}\times\frac{1}{\underset{2}{\cancel{6}}}=\frac{1}{14}$

2-4 $\frac{10}{13}\div15=\frac{\overset{2}{\cancel{10}}}{13}\times\frac{1}{\underset{3}{\cancel{15}}}=\frac{2}{39}$

2-5 $1\frac{5}{9}\div7=\frac{\overset{2}{\cancel{14}}}{9}\times\frac{1}{\underset{1}{\cancel{7}}}=\frac{2}{9}$

2-6 $4\frac{2}{5}\div11=\frac{\overset{2}{\cancel{22}}}{5}\times\frac{1}{\underset{1}{\cancel{11}}}=\frac{2}{5}$

51쪽 똑똑한 계산 연습

❶ $6.3\div3=\frac{\boxed{63}}{10}\div3=\frac{\boxed{63}\div3}{10}=\frac{\boxed{21}}{10}=\boxed{2.1}$

❷ $14.6\div2=\frac{\boxed{146}}{10}\div2=\frac{\boxed{146}\div2}{10}=\frac{\boxed{73}}{10}=\boxed{7.3}$

❸ $20.4\div4=\frac{\boxed{204}}{10}\div4=\frac{\boxed{204}\div4}{10}=\frac{\boxed{51}}{\boxed{10}}=\boxed{5.1}$

❹ 1.1	❺ 3.2	❻ 4.1
❼ 3.1	❽ 4.1	❾ 5.2

❹ $4.4\div4=\frac{44}{10}\div4=\frac{44\div4}{10}=\frac{11}{10}=1.1$

❺ $6.4\div2=\frac{64}{10}\div2=\frac{64\div2}{10}=\frac{32}{10}=3.2$

❻ $8.2\div2=\frac{82}{10}\div2=\frac{82\div2}{10}=\frac{41}{10}=4.1$

❼ $9.3\div3=\frac{93}{10}\div3=\frac{93\div3}{10}=\frac{31}{10}=3.1$

❽ $16.4\div4=\frac{164}{10}\div4=\frac{164\div4}{10}=\frac{41}{10}=4.1$

53쪽 똑똑한 계산 연습

❶ $2.4\div2=1.2$ (2.4−2=0.4, 0.4−0.4=0)

❷
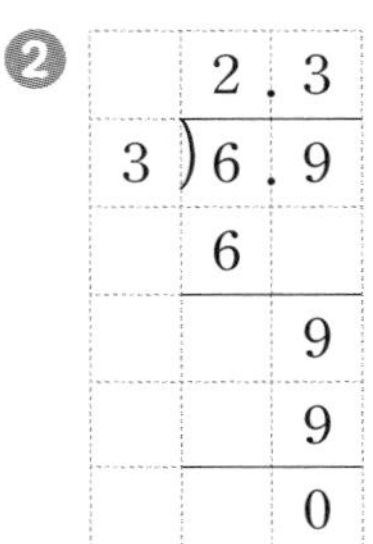

$6.9\div3=2.3$ (6.9−6=0.9, 0.9−0.9=0)

❸ $7.2\div6=1.2$ (7.2−6=1.2, 1.2−1.2=0)

❹ $12.6\div2=6.3$ (12.6−12=0.6, 0.6−0.6=0)

❺ $19.8\div9=2.2$ (19.8−18=1.8, 1.8−1.8=0)

❻ $10.5\div5=2.1$ (10.5−10=0.5, 0.5−0.5=0)

❼

$42.7\div7=6.1$ (42.7−42=0.7, 0.7−0.7=0)

❽
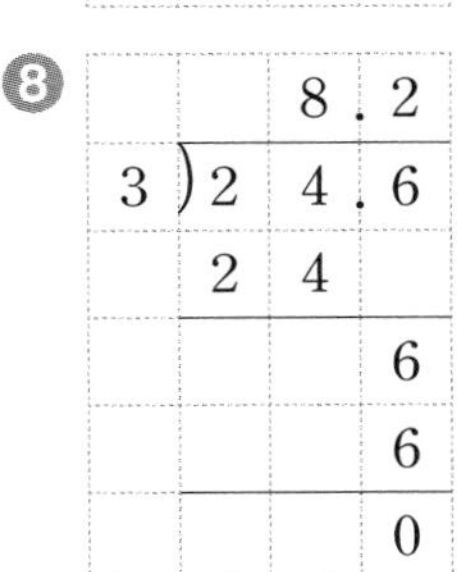

$24.6\div3=8.2$ (24.6−24=0.6, 0.6−0.6=0)

정답 풀이

❾

		5	. 2
4	)2	0	. 8
	2	0	
			8
			8
			0

54~55쪽	기초 집중 연습
1-1 13, 1.3	**1-2** 42, 4.2
1-3 128, 12.8	**1-4** 81, 8.1
1-5 71, 7.1	**1-6** 31, 3.1
2-1 3.2	**2-2** 3.3
2-3 5.1	**2-4** 5.1
3-1 9.1	**3-2** 24.8, 2, 12.4
3-3 48.4, 4, 12.1	
4-1 4.2	**4-2** 4.4
4-3 9.9, 3, 3.3	**4-4** 12.6, 6, 2.1

1-1 $39\div3=13$ ⇨ $3.9\div3=1.3$

1-2 $84\div2=42$ ⇨ $8.4\div2=4.2$

1-3 $512\div4=128$ ⇨ $51.2\div4=12.8$

1-4 $405\div5=81$ ⇨ $40.5\div5=8.1$

1-5 $426\div6=71$ ⇨ $42.6\div6=7.1$

1-6 $248\div8=31$ ⇨ $24.8\div8=3.1$

참고

나누어지는 수가 $\frac{1}{10}$배가 되면 몫도 $\frac{1}{10}$배가 됩니다.

2-1 $9.6\div3=3.2$ **2-2** $6.6\div2=3.3$

2-3 $30.6\div6=5.1$ **2-4** $45.9\div9=5.1$

3-1 (1 L로 달린 거리)=(사용한 연료)÷(달린 거리)
=$45.5\div5=9.1$ (km)

3-2 (1 L로 달린 거리)=(사용한 연료)÷(달린 거리)
=$24.8\div2=12.4$ (km)

3-3 (1 L로 달린 거리)=(사용한 연료)÷(달린 거리)
=$48.4\div4=12.1$ (km)

4-1 (한 명이 가지는 설탕의 무게)
=(전체 설탕의 무게)÷4
=$16.8\div4=4.2$ (kg)

4-2 (한 명이 가지는 쌀가루의 무게)
=(전체 쌀가루의 무게)÷2
=$8.8\div2=4.4$ (kg)

4-3 (한 명이 가지는 밀가루의 무게)
=(전체 밀가루의 무게)÷3
=$9.9\div3=3.3$ (kg)

4-4 (한 명이 가지는 콩가루의 무게)
=(전체 콩가루의 무게)÷6
=$12.6\div6=2.1$ (kg)

57쪽 똑똑한 계산 연습

❶ $9.78\div6=\frac{\boxed{978}}{100}\div6=\frac{\boxed{978}\div6}{100}=\frac{\boxed{163}}{100}=\boxed{1.63}$

❷ $4.52\div4=\frac{\boxed{452}}{100}\div4=\frac{\boxed{452}\div4}{100}=\frac{\boxed{113}}{100}=\boxed{1.13}$

❸ $37.94\div7=\frac{3794}{\boxed{100}}\div7=\frac{\boxed{3794}\div7}{\boxed{100}}=\frac{\boxed{542}}{\boxed{100}}=\boxed{5.42}$

❹ 1.95 ❺ 2.48 ❻ 7.84

❼ 6.14 ❽ 7.31 ❾ 9.61

❹ $9.75\div5=\frac{975}{100}\div5=\frac{975\div5}{100}=\frac{195}{100}=1.95$

❺ $7.44\div3=\frac{744}{100}\div3=\frac{744\div3}{100}=\frac{248}{100}=2.48$

❻ $62.72\div8=\frac{6272}{100}\div8=\frac{6272\div8}{100}=\frac{784}{100}=7.84$

❼ $24.56\div4=\frac{2456}{100}\div4=\frac{2456\div4}{100}=\frac{614}{100}=6.14$

❽ $36.55 \div 5 = \frac{3655}{100} \div 5 = \frac{3655 \div 5}{100} = \frac{731}{100} = 7.31$

❾ $67.27 \div 7 = \frac{6727}{100} \div 7 = \frac{6727 \div 7}{100} = \frac{961}{100} = 9.61$

59쪽 똑똑한 계산 연습

❶

	2.	4	7
3)	7.	4	1
	6		
	1	4	
	1	2	
		2	1
		2	1
			0

❷

	2.	6	3
2)	5.	2	6
	4		
	1	2	
	1	2	
			6
			6
			0

❸

		4.	2	5
3)	1	2.	7	5
	1	2		
			7	
			6	
			1	5
			1	5
				0

❹

		8.	8	6
4)	3	5.	4	4
	3	2		
		3	4	
		3	2	
			2	4
			2	4
				0

❺

		1.	9	4
6)	1	1.	6	4
		6		
		5	6	
		5	4	
			2	4
			2	4
				0

❻

		6.	2	3
7)	4	3.	6	1
	4	2		
		1	6	
		1	4	
			2	1
			2	1
				0

❼

		9.	2	3
6)	5	5.	3	8
	5	4		
		1	3	
		1	2	
			1	8
			1	8
				0

❽

		5.	2	7
4)	2	1.	0	8
	2	0		
		1	0	
			8	
			2	8
			2	8
				0

❾

		3.	5	6
6)	2	1.	3	6
	1	8		
		3	3	
		3	0	
			3	6
			3	6
				0

참고

몫의 소수점은 나누어지는 수의 소수점의 위치에 맞춰 찍습니다.

60~61쪽 기초 집중 연습

1-1 291, 2.91 **1-2** 637, 6.37
1-3 943, 9.43 **1-4** 859, 8.59
1-5 214, 2.14 **1-6** 123, 1.23
2-1 8.72 **2-2** 9.14
2-3 3.31 **2-4** 3.61
3-1 4.46 **3-2** 4.47
3-3 25.26, 3, 8.42 **3-4** 38.82, 6, 6.47
4-1 3.49 **4-2** 30.12, 4, 7.53

1-1 나누어지는 수가 $\frac{1}{100}$배가 되면 몫도 $\frac{1}{100}$배가 됩니다.

2-1 $34.88 \div 4 = 8.72$

2-2 $63.98 \div 7 = 9.14$

2-3 $16.55 \div 5 = 3.31$

2-4 $28.88 \div 8 = 3.61$

3-1 (한 마리에게 주는 먹이 양)
=(전체 먹이의 양)÷(마릿수)
$= 17.84 \div 4 = 4.46$ (kg)

3-2 (한 마리에게 주는 먹이 양)
=(전체 먹이의 양)÷(마릿수)
$=22.35\div5=4.47$ (kg)

3-3 (한 마리에게 주는 먹이 양)
=(전체 먹이의 양)÷(마릿수)
$=25.26\div3=8.42$ (kg)

3-4 (한 마리에게 주는 먹이 양)
=(전체 먹이의 양)÷(마릿수)
$=38.82\div6=6.47$ (kg)

4-1 (한 봉지에 담을 호두의 무게)
=(호두 전체의 무게)÷(봉지 수)
$=27.92\div8=3.49$ (kg)

4-2 (한 봉지에 담을 땅콩의 무게)
=(땅콩 전체의 무게)÷(봉지 수)
$=30.12\div4=7.53$ (kg)

63쪽 똑똑한 계산 연습

❶ $3.6\div4=\frac{\boxed{36}}{10}\div4=\frac{\boxed{36}\div4}{\boxed{10}}=\frac{\boxed{9}}{\boxed{10}}=\boxed{0.9}$

❷ $1.08\div6=\frac{\boxed{108}}{100}\div6=\frac{\boxed{108}\div6}{100}=\frac{\boxed{18}}{100}$
$=\boxed{0.18}$

❸ $3.15\div9=\frac{315}{\boxed{100}}\div9=\frac{\boxed{315}\div9}{\boxed{100}}=\frac{\boxed{35}}{\boxed{100}}$
$=\boxed{0.35}$

❹ 0.7 ❺ 0.6 ❻ 0.29
❼ 0.32 ❽ 0.84 ❾ 0.72

❹ $5.6\div8=\frac{56}{10}\div8=\frac{56\div8}{10}=\frac{7}{10}=0.7$

❺ $4.2\div7=\frac{42}{10}\div7=\frac{42\div7}{10}=\frac{6}{10}=0.6$

❻ $1.16\div4=\frac{116}{100}\div4=\frac{116\div4}{100}=\frac{29}{100}=0.29$

❼ $2.56\div8=\frac{256}{100}\div8=\frac{256\div8}{100}=\frac{32}{100}=0.32$

❽ $2.52\div3=\frac{252}{100}\div3=\frac{252\div3}{100}=\frac{84}{100}=0.84$

❾ $6.48\div9=\frac{648}{100}\div9=\frac{648\div9}{100}=\frac{72}{100}=0.72$

65쪽 똑똑한 계산 연습

❶

	0.	9
3)	2.	7
	2	7
		0

❷

	0.	8
4)	3.	2
	3	2
		0

❸

	0.	7
5)	3.	5
	3	5
		0

❹

	0.	6
6)	3.	6
	3	6
		0

❺

	0.	6
8)	4.	8
	4	8
		0

❻

	0.	8
9)	7.	2
	7	2
		0

❼

	0.	6	3
7)	4.	4	1
	4	2	
		2	1
		2	1
			0

❽

	0.	5	6
2)	1.	1	2
	1	0	
		1	2
		1	2
			0

❾

	0.	2	4
7)	1.	6	8
	1	4	
		2	8
		2	8
			0

❿

	0.	4	6
6)	2.	7	6
	2	4	
		3	6
		3	6
			0

⓫

	0.	2	6
8)	2.	0	8
	1	6	
		4	8
		4	8
			0

⓬

	0.	6	2
9)	5.	5	8
	5	4	
		1	8
		1	8
			0

66~67쪽 기초 집중 연습

1-1 36, 0.36　　1-2 32, 0.32
1-3 93, 0.93　　1-4 17, 0.17
1-5 37, 0.37　　1-6 62, 0.62
2-1 0.25　　2-2 0.57
2-3 0.82　　2-4 0.54
3-1 0.9　　3-2 0.39
3-3 2.88, 9, 0.32　　3-4 1.65, 3, 0.55
4-1 0.76　　4-2 5.88, 7, 0.84

3-3 (한 개의 무게)
=(전체 통조림의 무게)÷(통조림의 수)
=2.88÷9=0.32 (kg)

4-1 (한 자루에 담아야 하는 옥수수의 무게)
=(전체 옥수수의 무게)÷(자루의 수)
=6.08÷8=0.76 (kg)

69쪽 똑똑한 계산 연습

❶ $0.69\div3=\frac{69}{\boxed{100}}\div3=\frac{69\div3}{\boxed{100}}=\frac{\boxed{23}}{\boxed{100}}=\boxed{0.23}$

❷ $0.95\div5=\frac{95}{\boxed{100}}\div5=\frac{95\div5}{\boxed{100}}=\frac{\boxed{19}}{\boxed{100}}=\boxed{0.19}$

❸ $0.34\div2=\frac{34}{\boxed{100}}\div2=\frac{\boxed{34}\div2}{\boxed{100}}=\frac{\boxed{17}}{\boxed{100}}$
$=\boxed{0.17}$

❹ 0.27　❺ 0.13　❻ 0.16
❼ 0.13　❽ 0.29　❾ 0.23

❹ $0.81\div3=\frac{81}{100}\div3=\frac{81\div3}{100}=\frac{27}{100}=0.27$

❻ $0.96\div6=\frac{96}{100}\div6=\frac{96\div6}{100}=\frac{16}{100}=0.16$

❼ $0.65\div5=\frac{65}{100}\div5=\frac{65\div5}{100}=\frac{13}{100}=0.13$

❽ $0.87\div3=\frac{87}{100}\div3=\frac{87\div3}{100}=\frac{29}{100}=0.29$

71쪽 똑똑한 계산 연습

❶

	0	. 3	1
2	) 0	. 6	2
		6	
			2
			2
			0

❷

	0	. 3	2
3	) 0	. 9	6
		9	
			6
			6
			0

❸

	0	. 1	9
4	) 0	. 7	6
		4	
		3	6
		3	6
			0

❹

	0	. 1	2
8	) 0	. 9	6
		8	
		1	6
		1	6
			0

❺

	0	. 1	7
5	) 0	. 8	5
		5	
		3	5
		3	5
			0

❻

	0	. 3	7
2	) 0	. 7	4
		6	
		1	4
		1	4
			0

❼

	0	. 1	3
6	) 0	. 7	8
		6	
		1	8
		1	8
			0

❽

	0	. 1	3
7	) 0	. 9	1
		7	
		2	1
		2	1
			0

❾

	0	. 2	8
3	) 0	. 8	4
		6	
		2	4
		2	4
			0

❿

	0	. 2	4
4	) 0	. 9	6
		8	
		1	6
		1	6
			0

⓫

	0	. 2	9
2	) 0	. 5	8
		4	
		1	8
		1	8
			0

⓬

	0	. 1	2
6	) 0	. 7	2
		6	
		1	2
		1	2
			0

72~73쪽 기초 집중 연습

1-1 17, 0.17 **1-2** 16, 0.16
1-3 19, 0.19 **1-4** 14, 0.14
2-1 0.17 **2-2** 0.19
2-3 0.15 **2-4** 0.36
3-1 0.14 **3-2** 0.18
3-3 0.84, 6, 0.14 **3-4** 0.78, 3, 0.26
4-1 0.14 **4-2** 0.48, 3, 0.16

75쪽 똑똑한 계산 연습

❶ $60.9\div29=\frac{\boxed{609}}{10}\div29=\frac{\boxed{609}\div29}{\boxed{10}}=\frac{\boxed{21}}{\boxed{10}}=\boxed{2.1}$

❷ $20.4\div12=\frac{204}{\boxed{10}}\div12=\frac{\boxed{204}\div12}{\boxed{10}}=\frac{\boxed{17}}{\boxed{10}}=\boxed{1.7}$

❸ $39.1\div17=\frac{\boxed{391}}{\boxed{10}}\div17=\frac{\boxed{391}\div17}{\boxed{10}}=\frac{\boxed{23}}{\boxed{10}}=\boxed{2.3}$

❹

			3.	6
1	7)	6	1.	2
		5	1	
		1	0	2
		1	0	2
				0

❺

			1.	6
2	4)	3	8.	4
		2	4	
		1	4	4
		1	4	4
				0

❻

			2.	7
1	3)	3	5.	1
		2	6	
			9	1
			9	1
				0

❼

			2.	9
1	2)	3	4.	8
		2	4	
		1	0	8
		1	0	8
				0

❽

			1.	5
2	5)	3	7.	5
		2	5	
		1	2	5
		1	2	5
				0

❾

			2.	7
2	2)	5	9.	4
		4	4	
		1	5	4
		1	5	4
				0

77쪽 똑똑한 계산 연습

❶ $7.28\div13=\frac{\boxed{728}}{100}\div13=\frac{\boxed{728}\div13}{\boxed{100}}=\frac{\boxed{56}}{\boxed{100}}=\boxed{0.56}$

❷ $6.12\div17=\frac{612}{\boxed{100}}\div17=\frac{\boxed{612}\div17}{\boxed{100}}=\frac{\boxed{36}}{\boxed{100}}=\boxed{0.36}$

❸ $2.76\div23=\frac{\boxed{276}}{\boxed{100}}\div23=\frac{\boxed{276}\div23}{\boxed{100}}=\frac{\boxed{12}}{\boxed{100}}=\boxed{0.12}$

❹

		0.	1	2
1	3)	1.	5	6
		1	3	
			2	6
			2	6
				0

❺

		0.	1	6
2	4)	3.	8	4
		2	4	
		1	4	4
		1	4	4
				0

❻

		0.	4	1
1	7)	6.	9	7
		6	8	
			1	7
			1	7
				0

❼

		0.	4	3
1	8)	7.	7	4
		7	2	
			5	4
			5	4
				0

❽

		0.	1	3
3	1)	4.	0	3
		3	1	
			9	3
			9	3
				0

❾

		0.	1	5
2	3)	3.	4	5
		2	3	
		1	1	5
		1	1	5
				0

78~79쪽 기초 집중 연습

1-1 24, 2.4 **1-2** 47, 4.7
1-3 12, 1.2 **1-4** 17, 0.17
1-5 24, 0.24 **1-6** 41, 0.41
2-1 1.3 **2-2** 2.6
2-3 0.24 **2-4** 0.32

3-1 1.7　3-2 1.4
3-3 1.82, 13, 0.14　3-4 2.55, 15, 0.17
4-1 4.3　4-2 3.84, 12, 0.32

3-4 2.55 L의 세제를 똑같이 15개의 통에 나누어 담아야 합니다. ⇨ 2.55÷15=0.17 (L)

4-1 (철사 한 도막의 길이)
=(전체 철사의 길이)÷(도막 수)
=60.2÷14=4.3 (cm)

4-2 (털실 한 도막의 길이)
=(전체 털실의 길이)÷(도막 수)
=3.84÷12=0.32 (m)

80~81쪽 누구나 100점 맞는 TEST

❶ 6.2　❷ 32.1
❸ 3.6　❹ 4.7
❺ 0.37　❻ 0.89
❼ 9.26　❽ 5.27
❾ 0.83　❿ 0.58
⓫ 3.47　⓬ 0.62
⓭ 0.94　⓮ 8.86
⓯ 1.33　⓰ 9.2
⓱ 2.56　⓲ 3.8
⓳ 2.1　⓴ 1.5

❸
```
      3.6
 6)2 1.6
   1 8
     3 6
     3 6
       0
```

❹
```
       4.7
 13)6 1.1
    5 2
      9 1
      9 1
        0
```

❺
```
    0.3 7
 8)2.9 6
   2 4
     5 6
     5 6
       0
```

❻
```
    0.8 9
 5)4.4 5
   4 0
     4 5
     4 5
       0
```

⓭ $8.46 \div 9=\frac{846 \div 9}{100}=\frac{94}{100}=0.94$

⓮ $53.16 \div 6=\frac{5316 \div 6}{100}=\frac{886}{100}=8.86$

⓱
```
        2.5 6
 12)3 0.7 2
    2 4
      6 7
      6 0
        7 2
        7 2
          0
```

⓲
```
       3.8
 11)4 1.8
    3 3
      8 8
      8 8
        0
```

⓳
```
      2.1
 38)7 9.8
    7 6
      3 8
      3 8
        0
```

⓴
```
       1.5
 23)3 4.5
    2 3
    1 1 5
    1 1 5
        0
```

82~87쪽 특강 창의 · 융합 · 코딩

융합 1 3, 0.48 ; 0.48　융합 2 7, 1.47 ; 1.47
융합 3 1.23　창의 4 0.49
융합 5 2.41　융합 6 2.8
창의 7 학교
창의 8 2.1, 2.3, 0.16, 1.28
창의 9 (　)(○)(　)(　)

융합 5 (세로)=(직사각형의 넓이)÷(가로)
=9.64÷4=2.41 (cm)

융합 6 (진솔이네 집에서 한라산 입구까지의 거리)
÷(유정이네 집에서 한라산 입구까지의 거리)
=22.4÷8=2.8(배)

창의 8
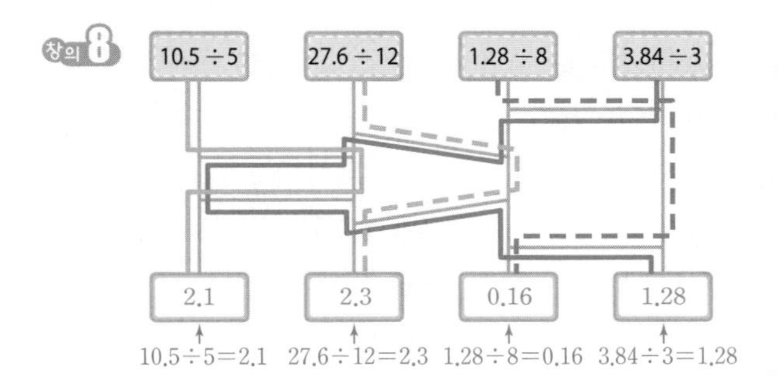

창의 9 힌트 1 10.4÷13=0.8
힌트 2 19.6÷7=2.8
0.8보다 크고 2.8보다 작은 소수 두 자리 수는 2.78입니다.

정답 풀이

3주 소수의 나눗셈 (2)

90~91쪽 이번에 배울 내용을 알아볼까요? ②

1-1 1.6 **1-2** 1.3
2-1 3.2 **2-2** 1.19
3-1 0.9 **3-2** 0.9
4-1 74, 2, 37, 0.37 **4-2** 45, 3, 15, 0.15

1-1

$$\begin{array}{r} 1.6 \\ 3\overline{)\,4.8} \\ 3 \\ \hline 1\,8 \\ 1\,8 \\ \hline 0 \end{array}$$

1-2

$$\begin{array}{r} 1.3 \\ 4\overline{)\,5.2} \\ 4 \\ \hline 1\,2 \\ 1\,2 \\ \hline 0 \end{array}$$

2-1 $9.6 \div 3 = 3.2$

2-2 $7.14 \div 6 = 1.19$

3-1

$$\begin{array}{r} 0.9 \\ 5\overline{)\,4.5} \\ 4\,5 \\ \hline 0 \end{array}$$

3-2

$$\begin{array}{r} 0.9 \\ 4\overline{)\,3.6} \\ 3\,6 \\ \hline 0 \end{array}$$

93쪽 똑똑한 계산 연습

❶ 180, 180, 36, 0.36
❷ 750, 750, 125, 1.25
❸ 340, 340, 85, 0.85
❹ 1.68 ❺ 1.15
❻ 1.45 ❼ 0.34
❽ 5.25 ❾ 6.35
❿ 2.65

❹ $8.4 \div 5 = \frac{840}{100} \div 5 = \frac{840 \div 5}{100}$
$= \frac{168}{100} = 1.68$

❺ $9.2 \div 8 = \frac{920}{100} \div 8 = \frac{920 \div 8}{100} = \frac{115}{100} = 1.15$

❻ $8.7 \div 6 = \frac{870}{100} \div 6 = \frac{870 \div 6}{100} = \frac{145}{100} = 1.45$

❼ $1.7 \div 5 = \frac{170}{100} \div 5 = \frac{170 \div 5}{100} = \frac{34}{100} = 0.34$

❽ $31.5 \div 6 = \frac{3150}{100} \div 6 = \frac{3150 \div 6}{100}$
$= \frac{525}{100} = 5.25$

❾ $50.8 \div 8 = \frac{5080}{100} \div 8 = \frac{5080 \div 8}{100}$
$= \frac{635}{100} = 6.35$

❿ $10.6 \div 4 = \frac{1060}{100} \div 4 = \frac{1060 \div 4}{100}$
$= \frac{265}{100} = 2.65$

95쪽 똑똑한 계산 연습

❶

	1.	8	4
5)	9.	2	0
	5		
	4	2	
	4	0	
		2	0
		2	0
			0

❷

		4.	3	5
6)	2	6.	1	0
	2	4		
		2	1	
		1	8	
			3	0
			3	0
				0

❸

		1.	4	5
8)	1	1.	6	0
		8		
		3	6	
		3	2	
			4	0
			4	0
				0

❹

	0.	8	5
2)	1.	7	0
	1	6	
		1	0
		1	0
			0

⑤

		2.	8	5
6)	1	7.	1	0
	1	2		
		5	1	
		4	8	
			3	0
			3	0
				0

⑥

		2.	5	5
8)	2	0.	4	0
	1	6		
		4	4	
		4	0	
			4	0
			4	0
				0

⑦

	0.	9	5
4)	3.	8	0
	3	6	
		2	0
		2	0
			0

⑧

		6.	4	5
6)	3	8.	7	0
	3	6		
		2	7	
		2	4	
			3	0
			3	0
				0

⑨

		4.	3	5
4)	1	7.	4	0
	1	6		
		1	4	
		1	2	
			2	0
			2	0
				0

96~97쪽 기초 집중 연습

1-1 195, 1.95
1-2 115, 1.15
1-3 124, 1.24
1-4 155, 1.55
2-1 1.72
2-2 3.35
2-3 2.45
2-4 2.95
3-1 0.25
3-2 0.35
3-3 0.15
3-4 0.22
4-1 5, 5.16
4-2 21.2, 2.65

2-1 $8.6 \div 5 = 1.72$

2-2 $20.1 \div 6 = 3.35$

2-3 $9.8 \div 4 = 2.45$

2-4 $23.6 \div 8 = 2.95$

4-1 (한 마리당 나누어 가진 사료의 양)
=(전체 사료 양)÷(강아지 수)

4-2 (한 도막의 길이)=(전체 리본의 길이)÷(도막 수)

99쪽 똑똑한 계산 연습

❶ 520, 520, 104, 1.04
❷ 618, 618, 206, 2.06
❸ 714, 714, 102, 1.02
❹ 1.05
❺ 2.06
❻ 6.05
❼ 7.08
❽ 0.08
❾ 1.09
❿ 1.06

❹ $8.4 \div 8 = \frac{840}{100} \div 8 = \frac{840 \div 8}{100} = \frac{105}{100} = 1.05$

❺ $10.3 \div 5 = \frac{1030}{100} \div 5 = \frac{1030 \div 5}{100} = \frac{206}{100} = 2.06$

❻ $12.1 \div 2 = \frac{1210}{100} \div 2 = \frac{1210 \div 2}{100} = \frac{605}{100} = 6.05$

❼ $35.4 \div 5 = \frac{3540}{100} \div 5 = \frac{3540 \div 5}{100} = \frac{708}{100} = 7.08$

❽ $0.24 \div 3 = \frac{24}{100} \div 3 = \frac{24 \div 3}{100} = \frac{8}{100} = 0.08$

❾ $6.54 \div 6 = \frac{654}{100} \div 6 = \frac{654 \div 6}{100} = \frac{109}{100} = 1.09$

❿ $7.42 \div 7 = \frac{742}{100} \div 7 = \frac{742 \div 7}{100} = \frac{106}{100} = 1.06$

101쪽 똑똑한 계산 연습

❶

	1.	0	7
4)	4.	2	8
	4		
		2	8
		2	8
			0

❷

		7.	0	5
8)	5	6.	4	0
	5	6		
			4	0
			4	0
				0

❸

		4.	0	5
7)	2	8.	3	5
	2	8		
			3	5
			3	5
				0

❹

	3.	0	7
3)	9.	2	1
	9		
		2	1
		2	1
			0

❺

		7.	0	5
6)	4	2.	3	0
	4	2		
			3	0
			3	0
				0

❻

		5.	0	5
5)	2	5.	2	5
	2	5		
			2	5
			2	5
				0

❼

	2.	0	8
3)	6.	2	4
	6		
		2	4
		2	4
			0

❽

		2.	0	6
7)	1	4.	4	2
	1	4		
			4	2
			4	2
				0

❾

		5.	0	9
9)	4	5.	8	1
	4	5		
			8	1
			8	1
				0

102~103쪽 기초 집중 연습

1-1 8, 0.08	**1-2** 505, 5.05
1-3 6, 0.06	**1-4** 305, 3.05
2-1 2.05	**2-2** 9.08
2-3 6.08	**2-4** 5.03
3-1 2.06	**3-2** 3.04
3-3 2.07	**3-4** 1.09
4-1 3, 1.08	**4-2** 12.24, 2.04
4-3 1.02	**4-4** 3.21, 3, 1.07

1-1 나누어지는 수가 $\frac{1}{100}$배가 되면 몫도 $\frac{1}{100}$배가 됩니다.

2-1 $12.3 \div 6 = 2.05$

2-2 $45.4 \div 5 = 9.08$

2-3 $30.4 \div 5 = 6.08$

2-4 $45.27 \div 9 = 5.03$

3-1 $8.24 \div 4 = 2.06$ (kg)

3-2 $9.12 \div 3 = 3.04$ (kg)

3-3 $12.42 \div 6 = 2.07$ (kg)

3-4 $5.45 \div 5 = 1.09$ (kg)

4-1 (정삼각형의 한 변의 길이)
=(둘레)÷(변의 수)
$= 3.24 \div 3 = 1.08$ (m)

4-2 (정육각형의 한 변의 길이)
=(둘레)÷(변의 수)
$= 12.24 \div 6 = 2.04$ (cm)

4-3 (사전 한 권의 무게)
=(전체 사전의 무게)÷(사전 수)
$= 9.18 \div 9 = 1.02$ (kg)

4-4 (책 한 권의 무게)
=(전체 책의 무게)÷(책 수)
$= 3.21 \div 3 = 1.07$ (kg)

105쪽 똑똑한 계산 연습

❶

			5.	5	5
1	2	)6	6.	6	0
		6	0		
			6	6	
			6	0	
				6	0
				6	0
					0

❷

			3.	8	8
1	5	)5	8.	2	0
		4	5		
		1	3	2	
		1	2	0	
			1	2	0
			1	2	0
					0

❸

			1.	1	5
1	6	)1	8.	4	0
		1	6		
			2	4	
			1	6	
				8	0
				8	0
					0

❹

			0.	9	4
1	5	)1	4.	1	0
		1	3	5	
				6	0
				6	0
					0

❺

			3.	4	5
1	4	)4	8.	3	0
		4	2		
			6	3	
			5	6	
				7	0
				7	0
					0

❻

			0.	6	5
1	8	)1	1.	7	0
		1	0	8	
				9	0
				9	0
					0

❼

			1.	2	5
1	4	)1	7.	5	0
		1	4		
			3	5	
			2	8	
				7	0
				7	0
					0

❽

			4.	3	5
1	2	)5	2.	2	0
		4	8		
			4	2	
			3	6	
				6	0
				6	0
					0

❾

			2.	4	5
1	6	)3	9.	2	0
		3	2		
			7	2	
			6	4	
				8	0
				8	0
					0

❶ 참고

66.6÷12를 세로로 계산할 때 소수점 아래에서 나누어떨어지지 않으면 0을 하나 내려 계산합니다. 몫의 소수점은 나누어지는 수의 소수점 위치에 맞춰 올려 찍습니다.

107쪽 똑똑한 계산 연습

❶

			3.	0	6
1	4	)4	2.	8	4
		4	2		
				8	4
				8	4
					0

❷

			1.	0	6
1	3	)1	3.	7	8
		1	3		
				7	8
				7	8
					0

❸

			3.	0	7
1	2	)3	6.	8	4
		3	6		
				8	4
				8	4
					0

❹

			2.	0	8
1	1	)2	2.	8	8
		2	2		
				8	8
				8	8
					0

❺

			4.	0	8
1	5	)6	1.	2	0
		6	0		
			1	2	0
			1	2	0
					0

❻

			3.	0	5
1	6	)4	8.	8	0
		4	8		
				8	0
				8	0
					0

❼

			6.	0	5
1	2	)7	2.	6	0
		7	2		
				6	0
				6	0
					0

❽

			7.	0	8
1	4	)9	9.	1	2
		9	8		
			1	1	2
			1	1	2
					0

❾

			5.	0	8
1	5	)7	6.	2	0
		7	5		
			1	2	0
			1	2	0
					0

108~109쪽 기초 집중 연습

1-1 3.35 **1-2** 6.25
1-3 2.08 **1-4** 5.04
2-1 0.45 **2-2** 4.24
2-3 0.08 **2-4** 4.05
3-1 1.02 **3-2** 0.15
3-3 1.05 **3-4** 0.65
4-1 29.12, 2.08 **4-2** 15, 4.64

1-1 $40.2 \div 12 = 3.35$

1-2 $87.5 \div 14 = 6.25$

1-3 $31.2 \div 15 = 2.08$

1-4 $65.52 \div 13 = 5.04$

2-1 $7.2 \div 16 = 0.45$

2-2 $63.6 \div 15 = 4.24$

2-3 1.12÷14=0.08

2-4 48.6÷12=4.05

3-1 11.22÷11=1.02 (L)

3-2 1.8÷12=0.15 (L)

3-3 14.7÷14=1.05 (L)

3-4 7.8÷12=0.65 (L)

4-1 (한 봉지에 담는 설탕의 무게)
=(전체 설탕의 무게)÷(봉지 수)

4-2 (한 도막의 길이)=(전체 끈의 길이)÷(도막 수)

111쪽 똑똑한 계산 연습

❶ 11, 11, 55, 5.5
❷ 9, 9, 18, 1.8
❸ 13, 13, 325, 3.25

❹

	3.	5
2	)7.	0
	6	
	1	0
	1	0
		0

❺

		1.	5
8	)1	2.	0
		8	
		4	0
		4	0
			0

❻

			1.	2
1	5	)1	8.	0
		1	5	
			3	0
			3	0
				0

❼

	1.	5
6	)9.	0
	6	
	3	0
	3	0
		0

❽

		3.	2
5	)1	6.	0
	1	5	
		1	0
		1	0
			0

❾

			1.	4
2	5	)3	5.	0
		2	5	
		1	0	0
		1	0	0
				0

113쪽 똑똑한 계산 연습

❶ 3, 3, 6, 0.6
❷ 6, 6, 24, 0.24
❸ 9, 9, 45, 0.45

❹

		0.	3	2
2	5	)8.	0	0
		7	5	
			5	0
			5	0
				0

❺

			0.	2	5
4	8	)1	2.	0	0
			9	6	
			2	4	0
			2	4	0
					0

❻

			0.	6	4
2	5	)1	6.	0	0
		1	5	0	
			1	0	0
			1	0	0
					0

❼

		0.	3	5
2	0	)7.	0	0
		6	0	
		1	0	0
		1	0	0
				0

❽

			0.	7	5
2	4	)1	8.	0	0
		1	6	8	
			1	2	0
			1	2	0
					0

❾

			0.	8	6
5	0	)4	3.	0	0
		4	0	0	
			3	0	0
			3	0	0
					0

114~115쪽 기초 집중 연습

1-1 2.25	**1**-2 1.4
1-3 0.66	**1**-4 0.8
2-1 1.75	**2**-2 1.25
2-3 1.08	**2**-4 0.95
3-1 0.5	**3**-2 0.45
3-3 1.5	**3**-4 1.5
4-1 5, 2.2	**4**-2 14, 3.5
4-3 4, 2.5	**4**-4 5, 5.4

1-1
```
     2.2 5
  4)9.0 0
    8
    1 0
      8
      2 0
      2 0
        0
```

1-2
```
    1.4
  5)7.0
    5
    2 0
    2 0
      0
```

1-3
```
        0.6 6
  5 0)3 3.0 0
      3 0 0
        3 0 0
        3 0 0
            0
```

1-4
```
        0.8
  2 0)1 6.0
      1 6 0
          0
```

2-1 $14 \div 8 = 1.75$

2-2 $15 \div 12 = 1.25$

2-3 $27 \div 25 = 1.08$

2-4 $19 \div 20 = 0.95$

3-1 $7 \div 14 = 0.5$ (m)

3-2 $9 \div 20 = 0.45$ (m)

3-3 $12 \div 8 = 1.5$ (m)

3-4 $18 \div 12 = 1.5$ (m)

4-1 (멜론 한 개의 무게)=(전체 멜론 무게)÷(멜론 수)

4-2 (수박 한 개의 무게)=(전체 수박 무게)÷(수박 수)

4-3 (정사각형의 한 변의 길이)
=(정사각형의 둘레)÷(변의 수)

4-4 (정오각형의 한 변의 길이)
=(정오각형의 둘레)÷(변의 수)

117쪽 똑똑한 계산 연습

❶ 1.88	❷ 1.08
❸ 0.87	❹ 5.16
❺ 14, 3.55	❻ 6, 3.45
❼ 56.4, 7.05	❽ 40.4, 8.08

❶ ●×5=9.4 ⇨ 9.4÷5=●, ●=1.88

❷ ●×4=4.32 ⇨ 4.32÷4=●, ●=1.08

❸ ●×6=5.22 ⇨ 5.22÷6=●, ●=0.87

❹ ●×5=25.8 ⇨ 25.8÷5=●, ●=5.16

❺ ●×14=49.7 ⇨ 49.7÷14=●, ●=3.55

❻ ●×6=20.7 ⇨ 20.7÷6=●, ●=3.45

❼ ●×8=56.4 ⇨ 56.4÷8=●, ●=7.05

❽ ●×5=40.4 ⇨ 40.4÷5=●, ●=8.08

119쪽 똑똑한 계산 연습

❶ 1.6	❷ 1.5
❸ 4.05	❹ 7.05
❺ 2, 7.95	❻ 5, 1.14
❼ 40.2, 3.35	❽ 12.6, 1.4

❶ 5×■=8 ⇨ 8÷5=■, ■=1.6

❷ 8×■=12 ⇨ 12÷8=■, ■=1.5

❸ 4×■=16.2 ⇨ 16.2÷4=■, ■=4.05

❹ 8×■=56.4 ⇨ 56.4÷8=■, ■=7.05

❺ 2×■=15.9 ⇨ 15.9÷2=■, ■=7.95

❻ 5×■=5.7 ⇨ 5.7÷5=■, ■=1.14

❼ 12×■=40.2 ⇨ 40.2÷12=■, ■=3.35

❽ 9×■=12.6 ⇨ 12.6÷9=■, ■=1.4

120~121쪽 기초 집중 연습

1-1 7.5	**1-2** 5.02
1-3 13.08	**1-4** 6.05
2-1 0.52	**2-2** 1.53
2-3 3.8	**2-4** 2.25
3-1 0.28	**3-2** 0.33
4-1 8 ; 1.54	**4-2** 6 ; 3.04
4-3 7 ; 2.09	**4-4** 5 ; 6.25

1-1 ㉠×2=15 ⇨ 15÷2=㉠, ㉠=7.5

1-2 7×㉠=35.14 ⇨ 35.14÷7=㉠, ㉠=5.02

1-3 ㉠×5=65.4 ⇨ 65.4÷5=㉠, ㉠=13.08

1-4 8×㉠=48.4 ⇨ 48.4÷8=㉠, ㉠=6.05

2-1 □×9=4.68 ⇨ 4.68÷9=□, □=0.52

2-2 □×7=10.71 ⇨ 10.71÷7=□, □=1.53

2-3 3×□=11.4 ⇨ 11.4÷3=□, □=3.8

2-4 6×□=13.5 ⇨ 13.5÷6=□, □=2.25

3-1 🍎×4=1.12 ⇨ 1.12÷4=🍎, 🍎=0.28

3-2 ●×6=1.98 ⇨ 1.98÷6=●, ●=0.33

4-1 ●×8=12.32 ⇨ 12.32÷8=●, ●=1.54

4-2 ▲×6=18.24 ⇨ 18.24÷6=▲, ▲=3.04

4-3 7×★=14.63 ⇨ 14.63÷7=★, ★=2.09

4-4 5×♥=31.25 ⇨ 31.25÷5=♥, ♥=6.25

122~123쪽 누구나 100점 맞는 TEST

❶ 1.25	❷ 1.15
❸ 6.05	❹ 4.06
❺ 1.92	❻ 2.4
❼ 1.95	❽ 3.68
❾ 1.6	❿ 2.5
⓫ 1.46	⓬ 8.05
⓭ 2.05	⓮ 0.86
⓯ 7.75	⓰ 1.05
⓱ 2.46	⓲ 3.25
⓳ 2.5	⓴ 3.05

❶
```
     1.2 5
  6)7.5 0
    6
    1 5
    1 2
      3 0
      3 0
        0
```

❷
```
     1.1 5
  8)9.2 0
    8
    1 2
      8
      4 0
      4 0
        0
```

❸
```
       6.0 5
  4)2 4.2 0
    2 4
        2 0
        2 0
          0
```

❹
```
       4.0 6
  5)2 0.3 0
    2 0
        3 0
        3 0
          0
```

❺
```
     1.9 2
  5)9.6 0
    5
    4 6
    4 5
      1 0
      1 0
        0
```

❻
```
       2.4
  5)1 2.0
    1 0
      2 0
      2 0
        0
```

❼
```
     1.9 5
  4)7.8 0
    4
    3 8
    3 6
      2 0
      2 0
        0
```

❽
```
       3.6 8
  5)1 8.4 0
    1 5
      3 4
      3 0
        4 0
        4 0
          0
```

정답

풀이

⑨
```
      1.6
15)2 4.0
   1 5
     9 0
     9 0
       0
```

⑩
```
    2.5
6)1 5.0
  1 2
    3 0
    3 0
      0
```

⑪
```
   1.4 6
5)7.3 0
  5
  2 3
  2 0
    3 0
    3 0
      0
```

⑫
```
    8.0 5
6)4 8.3 0
  4 8
      3 0
      3 0
        0
```

⑬
```
    2.0 5
6)1 2.3 0
  1 2
      3 0
      3 0
        0
```

⑭
```
      0.8 6
50)4 3.0 0
   4 0 0
     3 0 0
     3 0 0
         0
```

⑮ □×4=31 ⇨ 31÷4=□, □=7.75

⑯ □×6=6.3 ⇨ 6.3÷6=□, □=1.05

⑰ □×5=12.3 ⇨ 12.3÷5=□, □=2.46

⑱ 8×□=26 ⇨ 26÷8=□, □=3.25

⑲ 12×□=30 ⇨ 30÷12=□, □=2.5

⑳ 2×□=6.1 ⇨ 6.1÷2=□, □=3.05

124~129쪽 특강 창의 · 융합 · 코딩

융합 1 35.5
창의 2 3, 9.05, 9.05 ; 5, 9.08, 9.08 ; 호야
창의 3 20, 2.5
융합 4 3.75
융합 5 1.15
코딩 6 3.28
창의 7 15.5
창의 8 21.05
창의 9 9.8÷4=2.45 ; 2.45
창의 10 2.07

융합 1 호떡 4개 분량의 호떡용 잼믹스가 142 g이므로 호떡 1개를 만들려면 142÷4=35.5 (g)이 필요합니다.

창의 2
- 엘리가 뽑은 수 카드는 27.15, 3이므로 나눗셈의 몫은 27.15÷3=9.05입니다.
- 호야가 뽑은 수 카드는 45.4, 5이므로 나눗셈의 몫은 45.4÷5=9.08입니다.

⇨ 9.05<9.08이므로 호야가 만든 나눗셈의 몫이 더 크므로 게임에서 이긴 사람은 호야입니다.

창의 3 도미노의 점의 수는 6이므로 6칸만큼 간 곳의 수는 20입니다. ⇨ 20÷8=2.5

융합 4 82.5÷22=3.75 (g)

융합 5 9.2÷8=1.15 (L)

코딩 6 82÷5=16.4(10보다 큽니다.)
⇨ 16.4÷5=3.28(10보다 작습니다.)

창의 7 186÷12=15.5 (cm)

창의 8 168.4÷8=21.05 (cm)

창의 9 몫이 가장 크려면 나누어지는 수는 가장 크게, 나누는 수는 가장 작게 해야 합니다.
⇨ 9.8÷4=2.45

창의 10 승우가 생각한 수를 □라 하면 □×7=14.49입니다.
□×7=14.49 ⇨ 14.49÷7=□, □=2.07

4주 비와 비율

132~133쪽 이번에 배울 내용을 알아볼까요? ②

1-1 4, $\frac{2}{3}$ **1-2** 8, $\frac{2}{5}$

2-1 $\frac{4}{7}$ **2-2** $\frac{7}{10}$

2-3 $\frac{1}{4}$ **3-1** $\frac{16}{80}$, $\frac{70}{80}$

3-2 $\frac{28}{40}$, $\frac{30}{40}$ **4-1** $\frac{42}{60}$, $\frac{55}{60}$

4-2 $\frac{20}{96}$, $\frac{21}{96}$

2-1 분모와 분자의 최대공약수 2로 나눕니다.

2-2 분모와 분자의 최대공약수 6으로 나눕니다.

2-3 분모와 분자의 최대공약수 18로 나눕니다.

3-1 분모의 곱은 80입니다.
$\frac{2}{10}=\frac{2\times8}{10\times8}=\frac{16}{80}$, $\frac{7}{8}=\frac{7\times10}{8\times10}=\frac{70}{80}$

3-2 분모의 곱은 40입니다.
$\frac{7}{10}=\frac{7\times4}{10\times4}=\frac{28}{40}$, $\frac{3}{4}=\frac{3\times10}{4\times10}=\frac{30}{40}$

4-1 10과 12의 최소공배수는 60입니다.
$\frac{7}{10}=\frac{7\times6}{10\times6}=\frac{42}{60}$, $\frac{11}{12}=\frac{11\times5}{12\times5}=\frac{55}{60}$

4-2 24와 32의 최소공배수는 96입니다.
$\frac{5}{24}=\frac{5\times4}{24\times4}=\frac{20}{96}$, $\frac{7}{32}=\frac{7\times3}{32\times3}=\frac{21}{96}$

135쪽 똑똑한 계산 연습

❶ 8, 5 ❷ 7, 8
❸ 9, 11 ❹ 5, 9
❺ 13, 9 ❻ 9, 11
❼ 12, 7 ❽ 13, 6

❶ (감자 수) : (오이 수) ⇨ 8 : 5

❷ (사과 수) : (감 수) ⇨ 7 : 8

❸ (사탕 수) : (초콜릿 수) ⇨ 9 : 11

❹ (당근 수) : (고구마 수) ⇨ 5 : 9

❺ (토마토 수) : (귤 수) ⇨ 13 : 9

❻ (사과 수) : (레몬 수) ⇨ 9 : 11

❼ (당근 수) : (호박 수) ⇨ 12 : 7

❽ (사탕 수) : (아이스크림 수) ⇨ 13 : 6

137쪽 똑똑한 계산 연습

❶ 비, 기 ❷ 기, 비
❸ 비, 기 ❹ 비, 기
❺ 기, 비 ❻ 비, 기
❼ 7, 8 ❽ 5, 8
❾ 7, 2 ❿ 5, 9

❼ 7에 대한 8의 비 ⇨ 8 : 7

❽ 8과 5의 비 ⇨ 8 : 5

❾ 2의 7에 대한 비 ⇨ 2 : 7

❿ 5에 대한 9의 비 ⇨ 9 : 5

138~139쪽 기초 집중 연습

1-1 5의 11에 대한 비; 11에 대한 5의 비
1-2 14와 9의 비; 14의 9에 대한 비;
9에 대한 14의 비
1-3 12대 13; 12와 13의 비; 12의 13에 대한 비;
13에 대한 12의 비

2-1 6, 7 **2-2** 11, 15
2-3 6, 13 **2-4** 9, 13
2-5 17, 18 **2-6** 9, 17
3-1 ㉠ **3-2** ㉣
3-3 ㉡ **3-4** ㉢
4-1 17, 13 **4-2** 11, 12

정답
풀이

2-1 6과 7의 비 ⇨ 6 : 7

2-2 15에 대한 11의 비 ⇨ 11 : 15

2-4 13에 대한 9의 비 ⇨ 9 : 13

2-5 18에 대한 17의 비 ⇨ 17 : 18

2-6 9와 17의 비 ⇨ 9 : 17

4-1 여학생 수에 대한 남학생 수의 비
⇨ (남학생 수) : (여학생 수)=17 : 13

참고
기준량은 여학생 수입니다.

4-2 남학생 수에 대한 여학생 수의 비
⇨ (여학생 수) : (남학생 수)=11 : 12

141쪽 **똑똑한 계산 연습**

❶ $\frac{3}{8}$ ❷ $\frac{7}{29}$
❸ $\frac{5}{9}$ ❹ $\frac{5}{12}$
❺ $\frac{6}{11}$ ❻ $\frac{7}{15}$
❼ $\frac{8}{17}$ ❽ $\frac{8}{9}$
❾ $\frac{6}{13}$ ❿ $\frac{13}{15}$
⓫ $\frac{14}{17}$ ⓬ $\frac{15}{19}$
⓭ $\frac{13}{22}$

❶ 참고
$(\text{비율})=\frac{(\text{비교하는 양})}{(\text{기준량})}$

❸ 9에 대한 5의 비 ⇨ 5 : 9 ⇨ $\frac{5}{9}$

❹ 12에 대한 5의 비 ⇨ 5 : 12 ⇨ $\frac{5}{12}$

❺ 6의 11에 대한 비 ⇨ 6 : 11 ⇨ $\frac{6}{11}$

❻ 7의 15에 대한 비 ⇨ 7 : 15 ⇨ $\frac{7}{15}$

❼ 8의 17에 대한 비 ⇨ 8 : 17 ⇨ $\frac{8}{17}$

❽ 8의 9에 대한 비 ⇨ 8 : 9 ⇨ $\frac{8}{9}$

❾ 6의 13에 대한 비 ⇨ 6 : 13 ⇨ $\frac{6}{13}$

❿ 13의 15에 대한 비 ⇨ 13 : 15 ⇨ $\frac{13}{15}$

⓫ 14와 17의 비 ⇨ 14 : 17 ⇨ $\frac{14}{17}$

⓬ 15와 19의 비 ⇨ 15 : 19 ⇨ $\frac{15}{19}$

⓭ 13과 22의 비 ⇨ 13 : 22 ⇨ $\frac{13}{22}$

143쪽 **똑똑한 계산 연습**

❶ 0.2 ❷ 0.53
❸ 0.9 ❹ 0.65
❺ 0.3 ❻ 0.13
❼ 0.46 ❽ 2.6
❾ 0.54 ❿ 0.28
⓫ 0.16 ⓬ 0.875
⓭ 1.125

❶ 2 : 10 ⇨ $\frac{2}{10}=0.2$

❷ 53 : 100 ⇨ $\frac{53}{100}=0.53$

❸ 9 : 10 ⇨ $\frac{9}{10}=0.9$

❹ 13 : 20 ⇨ $\frac{13}{20}=\frac{65}{100}=0.65$

❺ 3 : 10 ⇨ $\frac{3}{10}=0.3$

❻ 13 : 100 ⇨ $\frac{13}{100}=0.13$

⑦ 23 : 50 ⇨ $\frac{23}{50}=\frac{46}{100}=0.46$

⑧ 13 : 5 ⇨ $\frac{13}{5}=\frac{26}{10}=2.6$

⑨ 27 : 50 ⇨ $\frac{27}{50}=\frac{54}{100}=0.54$

⑩ 7 : 25 ⇨ $\frac{7}{25}=\frac{28}{100}=0.28$

⑪ 4 : 25 ⇨ $\frac{4}{25}=\frac{16}{100}=0.16$

⑫ 7 : 8 ⇨ $\frac{7}{8}=\frac{875}{1000}=0.875$

⑬ 9 : 8 ⇨ $\frac{9}{8}=\frac{1125}{1000}=1.125$

144~145쪽 **기초 집중 연습**

1-1 $\frac{17}{25}$	**1-2** $\frac{14}{35}\left(=\frac{2}{5}\right)$
1-3 $\frac{18}{25}$	**1-4** $\frac{40}{75}\left(=\frac{8}{15}\right)$
2-1 0.7	**2-2** 0.85
2-3 0.45	**2-4** 0.48
3-1 $\frac{5}{16}$	**3-2** $\frac{7}{16}$
3-3 $\frac{4}{9}$	**3-4** $\frac{2}{3}$
4-1 6, 15, 0.4	**4-2** 7, 20, 7, 20, 0.35

1-1 17 : 25 ⇨ $\frac{17}{25}$

1-2 14 : 35 ⇨ $\frac{14}{35}\left(=\frac{2}{5}\right)$

1-3 18 : 25 ⇨ $\frac{18}{25}$

1-4 40 : 75 ⇨ $\frac{40}{75}\left(=\frac{8}{15}\right)$

2-1 35 : 50 ⇨ $\frac{35}{50}=\frac{70}{100}=0.7$

2-2 17 : 20 ⇨ $\frac{17}{20}=\frac{85}{100}=0.85$

2-3 45 : 100 ⇨ $\frac{45}{100}=0.45$

2-4 24 : 50 ⇨ $\frac{24}{50}=\frac{48}{100}=0.48$

3-1 $\frac{(\text{색칠한 칸수})}{(\text{전체 칸수})}=\frac{5}{16}$

3-2 $\frac{(\text{색칠한 칸수})}{(\text{전체 칸수})}=\frac{7}{16}$

3-3 $\frac{(\text{색칠한 칸수})}{(\text{전체 칸수})}=\frac{4}{9}$

3-4 $\frac{(\text{색칠한 칸수})}{(\text{전체 칸수})}=\frac{6}{9}=\frac{2}{3}$

4-1 (비율)=(비교하는 양)÷(기준량)
=6÷15=0.4

4-2 (비율)=(비교하는 양)÷(기준량)
=7÷20=0.35

147쪽 **똑똑한 계산 연습**

① $\frac{540}{2}$(=270)	② $\frac{440}{2}$(=220)
③ $\frac{260}{4}$(=65)	④ $\frac{960}{16}$(=60)
⑤ $\frac{480}{12}$(=40)	⑥ $\frac{573}{3}$(=191)
⑦ $\frac{360}{15}$(=24)	⑧ $\frac{975}{15}$(=65)
⑨ $\frac{432}{24}$(=18)	⑩ $\frac{450}{18}$(=25)

149쪽 **똑똑한 계산 연습**

① 28	② 520
③ 168	④ 80
⑤ 125	⑥ 90
⑦ 130	⑧ 150
⑨ 140	⑩ 75

❶ $\frac{896}{32}=28$

❷ $\frac{6240}{12}=520$

❸ $\frac{4200}{25}=168$

❹ $\frac{12800}{160}=80$

❺ $\frac{17750}{142}=125$

❻ $\frac{22500}{250}=90$

❼ $\frac{23400}{180}=130$

❽ $\frac{31500}{210}=150$

❾ $\frac{21000}{150}=140$

❿ $\frac{18000}{240}=75$

4-3 $\frac{9280000}{1600}=5800$

5-1 $\frac{(\text{간 거리})}{(\text{걸린 시간})}=\frac{160}{80}=2$

5-2 $\frac{(\text{간 거리})}{(\text{걸린 시간})}=\frac{480}{96}=5$

5-3 $\frac{(\text{간 거리})}{(\text{걸린 시간})}=\frac{300}{4}=75$

5-4 $\frac{(\text{간 거리})}{(\text{걸린 시간})}=\frac{1500}{3}=500$

150~151쪽 기초 집중 연습

1-1 465
1-2 150
2-1 0.04
2-2 0.16
3-1 0.25
3-2 0.3
4-1 7000
4-2 390
4-3 5800
5-1 $\frac{160}{80}$, 2
5-2 $\frac{480}{96}$, 5
5-3 $\frac{300}{4}$, 75
5-4 $\frac{1500}{3}$, 500

1-1 $\frac{2790}{6}=465$

1-2 $\frac{300}{2}=150$

2-1 $\frac{4}{100}=0.04$

2-2 $\frac{80}{500}=\frac{16}{100}=0.16$

3-1 $\frac{45}{180}=0.25$

3-2 $\frac{60}{200}=0.3$

4-1 $\frac{8400000}{1200}=7000$

4-2 $\frac{4680000}{12000}=390$

153쪽 똑똑한 계산 연습

❶ 75
❷ 90
❸ 32
❹ 85
❺ 74
❻ 36
❼ 30
❽ 48
❾ 17
❿ 6

155쪽 똑똑한 계산 연습

❶ $\frac{7}{100}$
❷ $\frac{23}{100}$
❸ $\frac{4}{25}$
❹ $\frac{19}{50}$
❺ $\frac{9}{20}$
❻ $\frac{31}{50}$
❼ $\frac{39}{50}$
❽ $\frac{17}{20}$
❾ 0.56
❿ 0.62
⓫ 0.89
⓬ 0.31
⓭ 0.23

❸ $\frac{16}{100}=\frac{4}{25}$

❹ $\frac{38}{100}=\frac{19}{50}$

❺ $\frac{45}{100}=\frac{9}{20}$

❻ $\frac{62}{100}=\frac{31}{50}$

❼ $\frac{78}{100}=\frac{39}{50}$

❽ $\frac{85}{100}=\frac{17}{20}$

156~157쪽 기초 집중 연습

1-1 0.15, 15
1-2 $\frac{17}{100}$, 17
1-3 0.625, 62.5
1-4 $\frac{21}{25}$, 0.84
2-1 45
2-2 48
2-3 97
2-4 28
3-1 40
3-2 56
3-3 34
3-4 40
4-1 60
4-2 56
4-3 $\frac{70}{250}$, 100, 28
4-4 $\frac{27}{300}$, 100, 9

1-1 $\frac{3}{20}=\frac{15}{100}=0.15$
$0.15\times100=15\,(\%)$

1-2 $0.17=\frac{17}{100}$
$0.17\times100=17\,(\%)$

1-3 $\frac{20}{32}=\frac{5}{8}=\frac{625}{1000}=0.625$
$0.625\times100=62.5\,(\%)$

1-4 84 % ⇨ $0.84=\frac{84}{100}=\frac{21}{25}$

2-1 $\frac{9}{20}\times100=45\,(\%)$

2-2 $\frac{24}{50}\times100=48\,(\%)$

2-3 $0.97\times100=97\,(\%)$

2-4 $0.28\times100=28\,(\%)$

3-1 $\frac{16}{40}\times100=40\,(\%)$

3-2 $\frac{28}{50}\times100=56\,(\%)$

3-3 $\frac{17}{50}\times100=34\,(\%)$

3-4 $\frac{32}{80}\times100=40\,(\%)$

159쪽 똑똑한 계산 연습

❶ $\frac{7}{140}$, 5
❷ $\frac{9}{150}$, 6
❸ $\frac{12}{120}$, 10
❹ $\frac{24}{200}$, 12
❺ $\frac{56}{350}$, 16
❻ $\frac{42}{280}$, 15

161쪽 똑똑한 계산 연습

❶ $\frac{600}{15000}$, 4
❷ $\frac{2000}{10000}$, 20
❸ $\frac{7000}{20000}$, 35
❹ $\frac{8000}{25000}$, 32
❺ $\frac{180}{1200}$, 15
❻ $\frac{360}{1800}$, 20

162~163쪽 기초 집중 연습

1-1 35
1-2 20
1-3 40
2-1 20
2-2 25
2-3 23
3-1 25
3-2 15
3-3 43
3-4 53
4-1 $\frac{1600}{8000}$, 20
4-2 $\frac{480}{800}$, 60

1-1 $\frac{7}{20}\times100=35\,(\%)$

1-2 $\frac{24}{120}\times100=20\,(\%)$

1-3 $\frac{80}{200}\times100=40\,(\%)$

2-1 $\frac{60}{300}\times100=20\,(\%)$

2-2 $\frac{75}{300}\times100=25\,(\%)$

2-3 $\frac{115}{500}\times100=23\,(\%)$

3-1 $\frac{80}{320}\times100=25\,(\%)$

정답
풀이

3-2 $\frac{54}{360}\times100=15\,(\%)$

3-3 $\frac{172}{400}\times100=43\,(\%)$

3-4 $\frac{265}{500}\times100=53\,(\%)$

4-1 참고

(할인율)$=\frac{(\text{할인 금액})}{(\text{원래 가격})}\times100$

164~165쪽 누구나 100점 맞는 TEST

❶ 9	❷ 8
❸ $\frac{39}{50}$	❹ $\frac{9}{14}$
❺ $\frac{4}{13}$	❻ $\frac{15}{19}$
❼ 0.57	❽ 0.58
❾ 0.32	❿ 0.16
⓫ 76	⓬ 85
⓭ 43	⓮ 29
⓯ $\frac{59}{100}$	⓰ $\frac{12}{25}$
⓱ $\frac{13}{20}$	⓲ $\frac{6}{25}$
⓳ 65	⓴ 60

❶ 비교하는 양은 13, 기준량은 9입니다.

⓫ $\frac{19}{25}\times100=76\,(\%)$

⓬ $\frac{17}{20}\times100=85\,(\%)$

⓭ $0.43\times100=43\,(\%)$

⓮ $0.29\times100=29\,(\%)$

⓯ 59 % ⇨ $\frac{59}{100}$

⓰ 48 % ⇨ $\frac{48}{100}=\frac{12}{25}$

⓱ 65 % ⇨ $\frac{65}{100}=\frac{13}{20}$

⓲ 24 % ⇨ $\frac{24}{100}=\frac{6}{25}$

⓳ $\frac{13}{20}\times100=65\,(\%)$

⓴ $\frac{270}{450}\times100=60\,(\%)$

166~171쪽 특강 창의 · 융합 · 코딩

융합 1 65; 204, 68; B　　창의 2 홍루비

융합 3 18, 대형마트　　융합 4 0.8, 0.85

창의 5

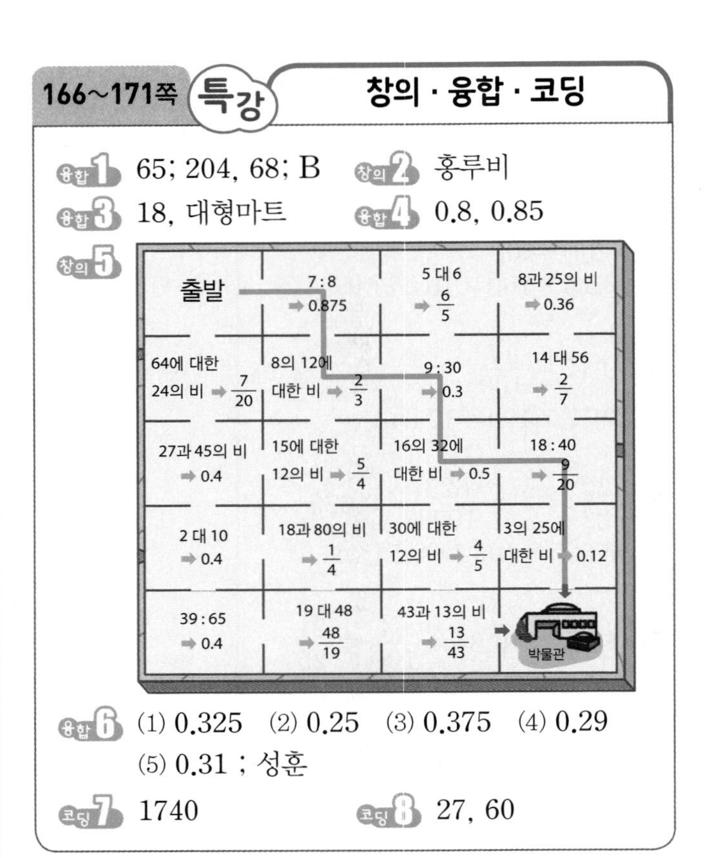

융합 6 (1) 0.325　(2) 0.25　(3) 0.375　(4) 0.29
(5) 0.31 ; 성훈

코딩 7 1740　　코딩 8 27, 60

창의 2 암호 ① 26 % ⇨ $\frac{26}{100}$ → 기약분수 $\frac{13}{50}$, 소수 0.26

암호 ② 37 % ⇨ $\frac{37}{100}=0.37$

암호 ③ 64 % ⇨ $\frac{64}{100}$ → 기약분수 $\frac{16}{25}$, 소수 0.64

융합 3 (대형마트 할인율)$=\frac{9}{50}\times100=18\,(\%)$
⇨ 대형마트의 할인율이 더 높습니다.

코딩 7 $5800\times0.3=1740$

코딩 8 $27\div60=0.45$
$0.45\times100=45\,(\%)$

◀ 정답은
이안에
있어!

기초 학습능력 강화 프로그램

매일 조금씩 공부력 UP!

하루 독해　　하루 어휘

하루 VOCA

하루 수학　　하루 계산　　하루 도형　　하루 사고력

과목	교재 구성	과목	교재 구성
하루 수학	1~6학년 1·2학기 12권	하루 사고력	1~6학년 A·B단계 12권
하루 VOCA	3~6학년 A·B단계 8권	하루 글쓰기	1~6학년 A·B단계 12권
하루 사회	3~6학년 1·2학기 8권	하루 한자	1~6학년 A·B단계 12권
하루 과학	3~6학년 1·2학기 8권	하루 어휘	예비초~6학년 1~6단계 6권
하루 도형	1~6단계 6권	하루 독해	예비초~6학년 A·B단계 12권
하루 계산	1~6학년 A·B단계 12권		

※ 각 교재별 출간 시기는 조금씩 다릅니다.